JORDI LARIOS

Llorenç Villalonga i la fi del món

Publicacions de l'Abadia de Montserrat
2007

Primera edició, novembre de 2007

La propietat d'aquesta edició és de
Publicacions de l'Abadia de Montserrat
Ausiàs Marc, 92-98 - 08013 Barcelona
ISBN: 978-84-8415-962-9
Dipòsit legal: B. 43.857 - 2007
Imprès a Novagràfik, S.L. - Pol. Ind. Foinvasa - Vivaldi, 5
08110 Montcada i Reixac

Prefaci

Sobre la relació que va mantenir amb la seva època, Llorenç Villalonga (1897-1980) hauria pogut firmar el que Pierre Drieu la Rochelle va dir de si mateix i de Céline en un prefaci de 1942 a *Gilles* (1939):

> Com tots els altres escriptors contemporanis, m'he trobat davant un fet aclaparador: la decadència. Cadascun a la seva manera, tots se n'han hagut de defensar i han hagut de lluitar-hi. Però ningú com jo, excepte Céline, n'ha tingut la consciència clara. N'hi ha que se n'han escapat amb l'evasió, l'allunyament, diverses formes de rebuig, de fugida o d'exili; jo, gairebé sol, amb l'observació sistemàtica i la sàtira.[1] (1996, p. 10)

Villalonga no escriu mai la mateixa novel·la, però pràcticament totes les seves novel·les són variacions sobre el tema de la decadència. *Mort de dama* (1931) tracta de la decadència d'una època i una societat, la del segle XIX o, d'una manera més precisa, la de la de les darreries del segle XIX, que coincideix amb la Restauració canovista. A *Mme. Dillon* (1937), Villalonga fa un primer intent de representar la decadència de la civilització europea a través del personatge sofisticat i crepuscular d'Alícia Dillon i el seu jove amant mallorquí, Xim Puigdesaura. *Les Fures* (1967) ficcionalitza el procés de creixe-

1. Les traduccions de les citacions en francès i en anglès són meves.

ment i decadència d'una civilització occidental, la d'Oswald Spengler i Nikolai Berdiaev, que desemboca en l'home-massa d'Ortega, reconvertit en dona-massa a *La gran batuda* (1968). *Andrea Víctrix* (1974) narra la decadència física d'Andrea, el/la protagonista, que personifica la fallida del *brave new world* villalonguià. *Bearn o la sala de les nines* (1956, 1961) també explica la història d'una decadència, que transcendeix l'àmbit de l'aristocràcia rural mallorquina. Per altra part, la decadència del món de *Bearn* ja s'insinua a *La novel·la de Palmira* (1952), que al seu torn és un precedent d'*Andrea Víctrix*, i és semblant a la representada per Gertry Seymour, la protagonista de *Desenllaç a Montlleó* (1958, 1963).

El propòsit d'aquest llibre és oferir una interpretació de *Mort de dama* i *Bearn o la sala de les nines*, les dues novel·les més conegudes de Villalonga, a través del filtre de diversos textos que ajuden a entendre fins a quin punt l'una i l'altra, de maneres diferents, són dues novel·les sobre la decadència i la fi d'un món. La primera part, dedicada a *Mort de dama* (la versió de 1931, que pertany a la fase més experimental de Villalonga), consta de tres seccions que analitzen tres aspectes de la novel·la: la seva estructura «vermicular»; el «simbolisme esvalotat» de Dona Obdúlia Montcada a la llum de *La deshumanización del arte* (1925) d'Ortega i el *Glosari* d'Eugeni d'Ors; i la gamma de prejudicis que intervenen en la construcció del personatge d'Aina Cohen. La segona part és un estudi sobre *Bearn* que recolza en textos de Nietzsche, Ortega i Zola.

Gairebé tots els papers que integren aquest llibre s'han publicat en revistes acadèmiques. Una primera versió de «L''estil vermicular' de *Mort de dama*» va aparèixer al *Bulletin of Spanish Studies* (2002) amb el títol «Novels Like Worms: Villalonga's *Mort de dama* and the Avant-garde». «Obdúlia Montcada, entre *La deshumanización del arte* i el *Glosari*» i «'Aina Cohen, c'est moi', o Aina Cohen és l'Altra?» s'han publicat a *Catalan Review: International Journal of Catalan Culture* (2005) i *Journal of Catalan Studies* (2007), respectivament. Una part considerable d'«Una interpretació de *Bearn o la sala de les nines* a la llum d'Ortega, Zola i Nietzsche» va sortir a *Els Marges*

(2006) amb el títol «L'home desil·lusionat i l'ànima envilida: Una interpretació de *Bearn o la sala de les nines*». Agraeixo a les revistes esmentades que m'hagin donat permís per tornar a publicar aquests papers.

També agraeixo a Maria del Carme Bosch la seva generositat a l'hora de compartir tot el que sap de Villalonga. A la Montserrat, com sempre, li agraeixo que m'hagi ensenyat a llegir tantes coses.

JORDI LARIOS

Primera part:

MORT DE DAMA

1. L'«estil vermicular» de *Mort de dama*

A la dècada de 1960, després de publicar una versió escapçada (sense l'epíleg) de *Bearn* en català (1961), Llorenç Villalonga va entrar al cànon de la literatura catalana. D'ençà d'aleshores, la seva posició com un dels grans narradors del segle XX ha estat objecte d'un consens unànime entre els crítics. La unanimitat és més relativa pel que fa al seu compromís inicial amb l'avantguarda, que se li va diluir en un pòsit de recel envers les formes d'art antitradicionals o experimentals:

> Villalonga, des d'un racionalisme ultrancer, fita l'aventura avantguardista amb desconfiança. Les normes limiten —pensa seguint Valéry— però eviten l'anarquia. La seva oposició a les radicals manifestacions literàries i plàstiques de l'Avantguarda fou tallant. Emperò, *malgré lui*, fou ell també un avantguardista. (Ferrà-Ponç 1997, pp. 199-200)

Ferrà-Ponç crida l'atenció sobre l'amistat de Villalonga amb uns quants escriptors avantguardistes mallorquins de la dècada de 1920 i considera els *Contes sintètics* (1924-27) i els *Contes blancs* (1928) com un producte «d'aquest ambient avantguardista» (1997, p. 200).

Magdalena Bou reconeix la «participació [de Villalonga] en el conreu de la literatura d'avantguarda i en la seva divulgació» (1982, p. 57) a l'illa de Mallorca, limita el seu període avantguardista als anys 1924-1928 i hi inclou les peces breus esmentades per Ferrà-Ponç així com una sèrie d'articles a la premsa «on exposa la seva concepció artística, seguint passa a passa els postulats orteguians de l'art deshumanitzat» (1982, p. 57). D'una manera lleugerament contradictòria, Bou presenta aquest període avantguardista com una «breu però intensa aventura estètica» (1982, p. 57), d'una banda, i, de l'altra, com «una aventura» que «no [va ser] assumida mai fins a les últimes conseqüències», com «un joc d'afeccionat lletraferit, interessat per tot el que s'esdevé en el món cultural europeu» (1982, p. 60).

Per a Joan Oleza, «hom no podria parlar d'una plena experiència d'avantguarda en Villalonga, almenys en el terreny estrictament artístic» (1996, p. 24). De l'avantguarda, només en manllevaria

> alguns gestos, com ara la complaença en la provocació de pròcers i senyores ben pensants, el gust per una certa experimentació formal —especialment interessada pel fragmentarisme, la composició en sèrie o el muntatge— una actitud narratòria enjogassada i esportiva, i l'amoblament dels seus relats amb objectes, tipus humans, costums *moderns* [...] i anglicismes [...], en un ambient urbà i cosmopolita. (Oleza 1996, p. 24)

Però aquests «gestos» estarien mancats de l'energia subversiva dels moviments d'avantguarda dels anys vint, l'estil de Villalonga seria impermeable a «aquell aventurerisme metafòric que caracteritzà ultraistes, creacionistes, futuristes», i només a *La catástrofe del hotel* (1926) abandonaria «el text orgànic» a favor d'«una textualitat dispersa i fragmentada» (Oleza 1996, p. 24).

El meu objectiu és demostrar que el «breu i peculiar flirteig filoavantguardista» de Villalonga (Simbor 1999, p. 69) va ser més que un mer «flirteig» i va resultar determinant a l'hora de concebre *Mort de dama* (1931), la seva primera novel·la, com ja sabien alguns dels crítics que en van ressenyar la primera edició.

Signada per «Dhey», pseudònim que Villalonga havia utilitzat sovint als seus articles a la premsa de Palma, la primera edició de *Mort de dama* es va publicar amb un pròleg de Gabriel Alomar i estava dedicada «[a] tots els que no s'hi enfadin» (1931, p. 5). En aquesta primera edició, es tracta d'una novel·la no gaire llarga (dinou capítols i un apèndix) sobre la mort imminent de Dona Obdúlia Montcada, una aristòcrata palmesana, les intrigues que aquesta mort imminent genera entre les possibles hereves, i els personatges que visiten Dona Obdúlia quan és a punt de morir, entre els quals hi ha la baronessa de Bearn, la poeta jueva Aina Cohen i el marquès de Collera, cap del partit conservador de l'illa.

Aquesta novel·la humorística, aparentment inofensiva, va provocar un escàndol considerable en alguns cercles intel·lectuals de Palma. Miquel Villalonga ho resumeix així:

> La obra, dedicada a «todos los que no se enfadaran», reunía cierto número de condiciones enfadosas por desconcertantes, como producto de juventud que era, un tanto *swing* y excesivamente contemporánea. Se hallaba escrita por un monárquico y aparecía con un prólogo de Gabriel Alomar, que se rió mucho con la novela; era un libro españolista y estaba redactado en lengua vernácula por quien siempre alardeó de no conocer dicha lengua. (1983, p. 293)

És cert que Villalonga era monàrquic, però no pas un monàrquic recalcitrant. Es va resignar a la república com un *fait accompli* i des d'un bon començament li va semblar inútil qualsevol maniobra per restaurar la monarquia, tot i que al final el feixisme el va seduir i va ser militant de Falange. Per altra part, és discutible que *Mort de dama* sigui realment un llibre espanyolista. Però, al marge d'això, el resum de l'afer que devem a Miquel Villalonga és acurat.

Ofès per la burla de la literatura autòctona que Villalonga proposava a través del personatge d'Aina Cohen, Miquel Ferrà, un dels escriptors de l'anomenada Escola Mallorquina, va llançar un atac furiós contra la novel·la:

> és un producte típicament provincià: obra d'un solitari de capital petita, que viu de *literatura*, travessat d'obsessions morboses, i no té el sentit del món que el volta, contra el qual reac-

ciona amb una fòbia pobra de ironia, encara que aparentant superioritat. (Rosselló 1993a, p. 49)

Escudat darrere un realisme en bancarrota des de feia temps, Ferrà acusa Villalonga de desconèixer el món que aspira a descriure i, per tant, d'haver creat uns personatges que no són gens creïbles: Obdúlia Montcada, la baronessa de Bearn («no l'hauria inventada ni el francès més ignorant en geografia») i «aquella estrafolària *Aina Cohen*» (Rosselló 1993a, p. 49) no s'assemblen gens a les senyores i les poetes mallorquines de debò. Aquests personatges no serveixen ni com a caricatures: «Són ninots buits de substància humana, bons per posar dalt una figuera» (Rosselló 1993a, p. 49). La novel·la no conté cap element salvable: «L'ambient manca [...] a les escenes i la veritat als diàlegs, d'un malgust [*sic*] deplorable. I tot és tan fals, tan agre, tan totalment descolorit, que fa pena» (Rosselló 1993a, p. 49). Des del seu punt de vista, *Mort de dama* és una obra d'una inanitat absoluta: «aquest llibre no és res» (Rosselló 1993a, p. 50).

Però no totes les crítiques van ser negatives. Al pròleg de la primera edició, Gabriel Alomar s'adona que *Mort de dama*, malgrat que el seu autor havia estat «enemic de la nostra tendència catalanitzant» a causa dels «prejudicis de la seva educació artística» (1931, p. 7), introdueix una novetat a la literatura mallorquina:

> L'esforç que representa aquest assaig en l'evolució de les lletres mallorquines és ben curiós: és el primer intent de novel·la més enllà de les formes dialectals de la tradició costumista i del quadret genèric, mansament irònic, a la manera càndida del segle XIX. Vol aplicar a l'objectivitat social mallorquina les normes apreses en la lectura de la novel·lística universal més depurada. (1931, p. 8)

Alomar és conscient de la dificultat de la feina de Villalonga i de les seves limitacions de novel·lista debutant, però emet un veredicte favorable sobre *Mort de dama*:

> Per a situar-nos bé en el judici de l'obra [...] no hem de considerar-la com un rebaixament paròdic de l'alta novel·la psicològica, compresa en la forta dinastia literària que va de Stendhal a Proust; sinó com una superació de la factura tradicional i regional del quadre de costums. I en aqueix concepte, l'esforç és ben remarcable. (1931, p. 8)

L'esforç és tan remarcable que vaticina un futur brillant al jove novel·lista: «Poques vegades com en el seu cas, és lícit parlar de les més intenses possibilitats futures» (1931, p. 10).

Màrius Verdaguer, que ja havia publicat *El marido, la mujer y la sombra* (1927), obra que habitualment s'associa amb la narrativa espanyola d'avantguarda d'aquells anys, va escriure una ressenya elogiosa de *Mort de dama*.[1] Verdaguer coincideix amb Alomar que la novel·la «representa ante todo, dentro de la literatura catalana, un hecho muy curioso», ja que constitueix «el primer intento de novela más allá de las formas de la tradición costumbrista y del cuadro genérico mansamente irónico a la manera del siglo XIX», i mostra la seva perplexitat pel fet que una novel·la «construída según las últimas normas de la novelística universal más depurada» s'hagi escrit a Mallorca, «donde la novela en lengua vernácula no existe a parte de los ensayos costumbristas de Gabriel Maura y Montaner» (Rosselló 1993a, p. 45). Al seu parer, que a Mallorca de sobte sorgeixi, «escribiendo en prosa y en lengua vernácula del más agrio sabor primitivo, el novelista de sentido más moderno que hasta ahora se haya presentado en la literatura catalana» (Rosselló 1993a, p. 46), és un fenomen excepcional. Verdaguer no explica en què consisteix la modernitat de *Mort de dama*, però comenta que posseeix una «técnica moderna» i una «técnica admirable» (Rosselló 1993, pp. 46 i 47). No és «una novela maestra, ni un libro equilibrado y ponderado, resolución acabada de lo que intentó crear el autor», però aquest

1. Vidal Alcover pensa que ho va fer perquè era amic de Villalonga i «en correspondència a les vegades que Dhey havia parlat dels seus [llibres]» (1980, p. 71).

es un perfecto pintor de tipos, más bien que de tipos de condensaciones de humanidad. Su trama es rectilínia porque aplica el procedimiento modernísimo de la síntesis. En un solo protagonista reúne lo que en otro escritor formaría una multitud de personajes novelescos. (Rosselló 1993a, p. 47)

En tot cas, *Mort de dama* seria una novel·la prou bona per justificar l'optimisme d'Alomar sobre el futur literari de Villalonga. Al cap i a la fi,

> [s]u sensibilidad extraordinaria le ha llevado a realizar un fenómeno sorprendente: el de haber escrito un libro en un rincón de provincia [...] que[,] sin imitarlos, tiene el sabor y la vida de una obra de Gide y la soltura fugitiva y agradable de Maurois. (Rosselló 1993a, pp. 47-48)

Així doncs, Alomar i Verdaguer, els dos primers crítics favorables a *Mort de dama*, estableixen dues premisses significatives: en primer lloc, l'obra representa un trencament amb la tradició literària del segle XIX i, per tant, introdueix una novetat en el panorama de la literatura mallorquina/ catalana de l'època;[2] en segon lloc, d'una manera o altra enllaça amb la novel·la europea més moderna,[3] d'aquí la seva novetat.

Poc després, Oliver Brachfeld assenyala que *Mort de dama* no és una novel·la en el sentit habitual de la paraula, i la situa en el mapa de l'humorisme europeu més distingit:

> Si més amunt hem posat la paraula *novel·la* entre cometes, és perquè per nosaltres *Mort de Dama* no pertany més a aquest gè-

2. Que *Mort de dama* representi una novetat en el context de «les lletres mallorquines», com diu Alomar, em sembla una opinió perfectament plausible. Que representi una novetat en el context més general de la literatura catalana, que ja havia experimentat la crisi de la novel·la realista i naturalista amb el Modernisme i el Noucentisme, és molt discutible.

3. La novel·la europea més moderna de l'època és la novel·la del *Modernism*, que trenca amb el model de la novel·la realista i naturalista del segle XIX. Sobre l'encaix de l'avantguarda amb el *Modernism* o, encara millor, amb el(s) *Modernism(s)*, vegi's Ródenas, 1998, pp. 23-112.

nere literari que la majoria de les pseudonovel·les franceses dels nostres dies. (Rosselló 1993a, p. 59)

> Amb *Mort de Dama*, Dhey s'ha col·locat entre els millors escriptors peninsulars i entre els millors humoristes europeus, al mateix temps que inicia una campanya per una nova societat, per una nova literatura mallorquines. (Rosselló 1993a, p. 61)

La primera versió castellana de *Mort de dama* es va publicar mesos abans de la Guerra Civil, amb un pròleg de Werner Schulz que la presentava com «una novela moderna sobre Mallorca», marcada per «un gran influjo francés, sobre todo proustiano» (Rosselló 1993a, pp. 62 i 63).

Malauradament, la línia crítica iniciada per Alomar, Verdaguer, Brachfeld i Schulz no va tenir continuïtat, i la seva idea d'enllaçar *Mort de dama* amb la novel·la europea contemporània no va ser recollida per comentaristes posteriors, que sovint es decanten per llegir-la des d'una perspectiva més local i no gaire afalagadora.

Joaquim Molas, per exemple, la defineix com «una caricatura, sovint, cruel i injusta de tota una societat en crisi», tot i que al mateix temps hi veu «un testimoni històric de la Mallorca dels primers anys del segle» (1966, p. 16). Veus més recents s'han distanciat d'aquesta lectura, però sense mostrar gaire entusiasme per la novel·la. Simbor, per posar un altre exemple, li atribueix molt poc mèrit en comparació amb altres ficcions del mateix Villalonga:

> *Mort de dama*, com a novel·la, queda per sota de les millors. Ni la composició, elemental, ni l'elaboració d'uns personatges massa caricaturitzats, ni la història, limitada en ambició creativa, massa lligada a la sàtira immediata, li permeten la volada novel·lística que [Villalonga] assoleix en unes altres obres. (1999, p. 286)

Així doncs, encara que Villalonga és un escriptor prou reconegut, amb una posició sòlida dins el cànon de la literatura catalana del segle xx, justificant així l'optimisme d'Alomar sobre el seu futur literari, la crítica posterior a la Guerra Civil no comparteix el veredicte favorable sobre *Mort de dama* emès per Alomar, Verdaguer, Brachfeld i Schulz.[4]

En diverses ocasions, a vegades molt allunyades en el temps, el mateix Villalonga va expressar la seva opinió, una opinió canviant i en general també desfavorable, sobre *Mort de dama*. La primera vegada que s'hi va referir públicament va ser poc després que en sortís la primera edició, en un article a la premsa on declarava: «*Mort de Dama* es un libro de humor que no aspira sino a fijar un momento de la vida social mallorquina» (Rosselló 1993a, p. 42). És una declaració d'intencions molt semblant a la que tanca el primer capítol de la novel·la: «Però, abans que tot s'enruni, Dhey desitjaria fixar [...] algunes de les escenes exemplars en què s'ha desenrotllada la seva infància» (pp. 17-18). Ara bé, aquesta aspiració de *Mort de dama* és compatible amb la seva ficcionalitat: «Las novelas —es una regla elemental de preceptiva— no pueden ser copias fotográficas de la realidad, sino síntesis personales del autor» (Rosselló 1993a, p. 43). Tres anys després, a la introducció de *Centro*, un recull d'articles que havien aparegut a la premsa de Palma, Villalonga no amaga la seva desafecció per la novel·la: «*Mort de Dama* se nos aparece hoy como un libro primitivo, un *cock-tail* demasiado sencillo, de barman de pueblo» (1934, p. 7). La desafecció és tan intensa que fins i tot li sap greu haver-la publicada:

> me reprocho que la edición de *Mort de Dama* no se halle [...] en mi poder, o a lo sumo en manos de media docena de amigos. Y es aleccionador observar como un libro que escribí con ilusión y cuya resonancia me agradó, constituya hoy para m[í] casi un remordimiento literario. (1934, p. 8)

Gairebé vint anys més tard, en el prefaci a la primera edició catalana de *Bearn*, fins i tot donarà la raó a Miquel Ferrà: «Re-

4. Hi ha excepcions, com Josep Maria Llompart, que no està d'acord amb l'actitud de Villalonga envers l'Escola Mallorquina, però creu que *Mort de dama* és «la primera gran novel·la que [s'escriu] a Mallorca», i «una narració divertida, àgil, admirablement estructurada [...], riquíssima de matisos a nivell de sàtira social» (1973, pp. 220 i 237).

butjant *Mort de dama*, que és una caricatura ('un pàl·lid esperpent', segons l'admirat Miquel Ferrà), [a *Bearn*] vaig intentar el retrat, o si voleu el poema, de Mallorca» (1974, p. 19). A *Falses memòries de Salvador Orlan*, la seva autobiografia novel·lada (o la seva novel·la autobiogràfica), Orlan/ Villalonga la veu com una «fada historieta (després de mica en mica millorada i completada fins arribar a l'edició definitiva [...], apareguda el 1965» (1982, p. 73), en escriure la qual havia cedit a «la vulgar tendència costumista, tan pròpia dels esperits de curta volada, si bé neutralitzant el retrat fotogràfic amb un poc d'humor» (1982, p. 112).

Tanmateix, el nombre d'edicions de *Mort de dama* i els canvis que ha experimentat al llarg dels anys desmenteixen aquesta desafecció aparent de Villalonga.

Abans de la guerra, entre 1935 i 1936, *Mort de dama* es va tornar a publicar, traduïda al castellà, a la revista *Brisas*, que dirigia ell mateix. Després de la guerra, el 1954 l'Editorial Selecta en va fer una altra edició en català, amb un pròleg de Salvador Espriu. Entre gener i abril de 1957 en va aparèixer una segona versió en castellà a la revista *Papeles de Son Armadans*. El 1965, Club Editor en va treure una altra versió catalana, la que Villalonga considerava definitiva. El 1966, va ser inclosa dins el primer volum de les seves *Obres completes*, juntament amb una comèdia en cinc actes i un epíleg, *A l'ombra de la Seu*, que n'és una versió dramàtica. Hi ha, a més, altres versions posteriors a 1966 que ara, però, no m'interessen.

Com he dit abans, la primera edició de 1931 consta de dinou capítols i un apèndix. A la versió de *Brisas*, els capítols vuitè i novè de la primera edició («La baronessa es confessa» i «Les tristeses de N'Aina Cohen») intercanvien la seva posició i són, respectivament, el novè i el vuitè. Hi ha, en aquesta versió, un capítol nou respecte de l'edició de 1931: «Ensueños de doña Obdulia». A l'edició de 1954 figura el capítol «Trenta anys enrera», que no és a la primera edició ni a la primera versió castellana de *Brisas*. «Los primeros momentos», «Aquel veinte de enero», «Así se escribe la historia» i «En la calle del Carmen de Barcelona» són quatre capítols que van ser publicats per primera vegada a la versió de *Papeles de Son Arma-*

dans. El capítol «Aina Cohen va a veure Dona Obdúlia» només apareix a partir de la versió de 1965. Finalment, la «Introducció» que trobem en aquesta edició és l'antic primer capítol de la novel·la, que el 1931 es titulava «Escenari», títol que manté a *Brisas*, i a la versió de 1954 «Un barri venerable», com a la de *Papeles de Son Armadans*.

Els dinou capítols de la primera edició es converteixen en vint a la versió castellana de *Brisas*, en vint-i-un a la versió catalana de la Selecta, en vint-i-cinc a la versió castellana de *Papeles de Son Armadans*, mentre que l'edició de 1965 consta de vint-i-cinc capítols i una introducció. També caldria fer notar que l'«Apèndix» de la primera edició figura a totes les versions posteriors esmentades excepte a la de *Papeles de Son Armadans*. Fins a 1965 Villalonga aprofita cada nova edició de la novel·la per afegir-hi capítols i revisar els que ja s'havien publicat en edicions anteriors. No hi ha cap capítol que, poc o molt, no hagi estat modificat. Sens dubte, algunes de les modificacions que es detecten a les edicions posteriors a la guerra es deuen a l'existència de la censura franquista, però això és una altra història que ara deixaré de banda.

Villalonga afegeix capítols, els canvia de lloc, corregeix el text, però mai no tenim la impressió que hagi danyat la cohesió de la novel·la. *Mort de dama* ha crescut perquè disposa d'una estructura prou flexible per créixer, una estructura que li permet la incorporació de capítols nous, que fins i tot l'afavoreix.

Vidal Alcover classifica els canvis que experimenta en «[c]apítols afegits», «[s]upressions i modificacions de forma» i «[a]lteracions de fons» (1980, pp. 74-75), i revela que Villalonga era molt conscient d'aquesta peculiaritat de la seva estructura, tot i que no s'entreté a analitzar la qüestió:

> L'autor s'agrada de dir que *Mort de dama* és una novel·la d'«estil vermicular», com el palau de Versalles. És a dir, que es pot anar allargant indefinidament sense trencar-ne l'estructura, perquè no té altra estructura que la del cuc, el qual, sigui el que sigui el nombre d'anelles que tengui, no deixa mai d'esser un cuc. (1980, pp. 73-74)

En una ressenya de *La Quinta de Palmyra* (1923), la novel·la de Ramón Gómez de la Serna, Benjamín Jarnés distingeix entre «la vieja novela» («[e]ran novelas por yuxtaposición, por incrementación algorítmica») i «[l]la novela nueva», sobre la qual escriu:

> En la primera [cuartilla] hace surgir un protoplasma, un maravilloso gusanillo vivo que [...] trocará en sustancia propia la materia circundante; quemará elementos ajenos, extrayendo de la ceniza un carboncillo rutilante; crecerá nutriéndose de carne anónima; se transformará y, después de ciertas estaciones en su evolución, llegará a la madurez. Unos miembros se le desarrollarán con exceso; alguno crecerá raquítico, menos armónico— el ímpetu incubador sufre sus desfallecimientos—; pero nunca habrá en el organismo, miembros esporádicos, inútiles, amputables. (1925, p. 113)

L'estructura de *Mort de dama* és «vermicular» en el sentit que facilita la *juxtaposició* de capítols, de manera que, seguint Jarnés, semblaria una novel·la «vieja», més que una novel·la «nueva». Vidal Alcover especula que el nom de Dona Obdúlia «és pres, probablement, de *La Regenta*, i això explicaria la filiació literària del novel·lista: la novel·la realista de la bona època i no únicament la francesa» (1980, p. 61). Però, encara que la Vetusta de Clarín hagi deixat alguna empremta en la Palma de Villalonga i que el nom de Dona Obdúlia coincideixi amb el d'Obdulia Fandiño, l'epicureisme de la qual contrasta vivament amb la sexualitat reprimida de la dama mallorquina, convindria no descartar que el manllevi a l'Obdulia Sánchez de *La Venus mecánica* (1929), de José Díaz Fernández, un híbrid de novel·la d'avantguarda i el que alguns crítics anomenen *novela de avanzada*. De fet, crec que *Mort de dama* té molt poc a veure amb la tradició de la novel·la realista del segle XIX i sí, en canvi, amb la novel·la espanyola i europea contemporània, com ja van copsar Alomar, Verdaguer, Brachfeld i Schulz. Els articles teòrics sobre el gènere que Villalonga publica entre 1924 i 1931 confirmen el seu rebuig del model realista i naturalista del segle XIX. Per altra part, l'«estil vermicular» de *Mort de dama* constitueix un exemple de l'estructura característica de la novel·la contemporània que Ortega estudia a *Ideas sobre la novela* (1925).

En aquest assaig, Ortega parteix de la base que la novel·la està en crisi i sosté que ha evolucionat des de la simple narració d'esdeveniments a la presentació de personatges. A la novel·la contemporània, l'argument o trama deixa de ser un element essencial per convertir-se en un element secundari, però imprescindible. Aquesta contradicció aparent (element secundari i al mateix temps imprescindible) es dissol de seguida si pensem que l'argument és imprescindible a causa de la necessitat que té la novel·la de no estancar-se, d'avancar cap a un desenllaç. Ortega ho explica així: «Pasa, pues, la aventura, la trama, a ser sólo pretexto, y como hilo solamente que reúne las perlas en collar» (1957a, p. 393). En el cas de *Mort de dama*, la imatge del collar i les perles és fins i tot més escaient que la del cuc, ja que la trama hi funciona com a pretext, com a fil, per a les digressions (les perles) del narrador, que giren entorn dels diversos personatges: «La mínima intriga fa d'enfilall a una composició fragmentada en escenes, de les quals [Villalonga] parteix per introduir la caracterització psicològica dels personatges» (Gustà 1988, p. 133).

Brachfeld i Espriu ja s'havien fixat en la poca importància de l'argument, la intriga o la trama a *Mort de dama*:

> en *Mort de Dama* s'esdevenen, en veritat, molt poques coses. (Brachfeld a Rosselló 1993a, p. 59)
>
> En un dels casals d'aquest barri, colgada en un llit monumental, damunt una muntanya de matalassos, s'està morint Obdúlia Montcada, i la narració de la mort d'aquesta anciana i autoritària dama, d'un talent tan escàs com clar, constitueix l'objecte principal, quasi únic, de la notabilíssima novel·la. No passa en ella res més que això: la lenta mort d'una rica i atrotinada dama i, al seu entorn, les intrigues per heretar-la i, com un teló de fons, l'expectació, les xafarderies que suscita l'ineluctable fet. (Espriu 1954, pp. 17-18)

Certament, a *Mort de dama* gairebé no passa res. La novel·la comença anunciant la mort de Dona Obdúlia («Obdúlia

Montcada acaba de morir» [p. 17]) i es tanca amb un capítol («Guanya el dimoni») que en dóna els detalls. La mort d'aquest personatge, la seva llarga i curiosa agonia, és el fil que reuneix les perles dels capítols per formar el collar de la novel·la. Per això, encara que Villalonga n'hi afegeixi de nous, n'alteri la col·locació o en revisi el text, mai no fa l'efecte que la novel·la hagi canviat d'una manera substancial. Un collar sempre és un collar, tant si té moltes perles com si en té poques, sigui quin sigui l'ordre d'aquestes perles, el seu volum o el seu color. És la possibilitat d'allargar indefinidament la malaltia de Dona Obdúlia, d'ajornar la seva mort, el que confereix a *Mort de* dama la flexibilitat de la seva estructura, la seva forma de collar i, en definitiva, la possibilitat d'esdevenir *a work in progress* més o menys permanent. En aquest sentit, s'hi podrien aplicar unes paraules de Víctor Fuentes sobre les novel·les de Benjamín Jarnés:

> En ellas, como en tantas novelas contemporáneas —pensemos en el *nouveau roman*— el tiempo no corre y no se alcanza nada. Carecen de principio, de medio y de fin y son susceptibles, como ocurre con frecuencia, de posterior ampliación y continuación. (1969, p. 29)

La forma de cuc o de collar es pot resseguir a través d'una sèrie de senyals visibles en el text. El segon capítol de la primera edició, «Un retrat amb quatre dades genealògiques», per exemple, comença així: «Aquell dia Obdúlia Montcada, vídua de Béarn, comprengué que es moria» (p. 19). La mort imminent de la senyora funciona com a pretext perquè el narrador n'esbossi el retrat. El tercer capítol («En què es parla del 'Cometa' i es fa l'història del vestit lilà»), comença d'una manera semblant: «Dèiem que aquell dia, Obdúlia Montcada, vídua de Béarn, comprengué que es moria» (p. 27). La proximitat de la mort de Dona Obdúlia indueix el narrador a parlar de la seva indumentària i les seves joies:

> Abans de passar endavant hem de parlar de la fortuna de D.ª Obdúlia. És el més important en aquests moments. La sen-

> yora se mor. Al escampar-se la notícia no tardaran en presentar-se a la casa les seves relacions. Moltes persones recordaran en aquells moments que tenen algun parentesc amb la malalta. I recorreran la casa, inventariant-ho tot amb escrutadora mirada. (pp. 28-29)

Els capítols desè («Les tristeses de N'Aina Cohen), setzè («La meva neboda M.ª Antònia...»), divuitè («Fires i festes»), i dinovè («Guanya el dimoni») s'obren amb una referència a la malaltia o la mort de Dona Obdúlia:

> La malatia de D.ª Obdúlia —cal reconèixer-ho— posava en commoció molta de gent. (p. 79)

> Pensava [Dona Obdúlia]: quin esglai s'endurien es meus parents, i aquesta nyeu-nyeu de Remei, si no els hi deixàs res... Són uns afamats. Tots vénen aquí per interès. A Na Maria Antònia no tardaran a prendre-li «Son Creus». Ja ho crec, que li vendria bé que la fés hereua. Però jo encara no m'he morta i puc tornar enrera... (p. 143)

> El 5 de setembre, aniversari de la mort del beat Joan de Montcada, D.ª Obdúlia s'agreujà. (p. 161)

> Poques vegades la memòria de l'il·lustre arquebisbe de València fou honrada com aquest any. D.ª Obdúlia, mig morta, demanava noves de la festa. (p. 171)

D'una manera explícita o implícita, la mort de Dona Obdúlia justifica tots els capítols de la novel·la, que poden ser més o menys, perquè la seva malaltia és elàstica, es pot allargar o escurçar a discreció.

> N'Obdúlia es mor, es mor —escriu Brachfeld—, però molt lentament. I aquesta mort de la gran senyora feudal dóna ocasió a l'autor de dibuixar [...] un retrat de la vida de l'alta societat mallorquina. (Rosselló 1993a, p. 59)

Per tant, relatar-la no és pas «l'objecte principal, quasi únic, de la [...] novel·la», com voldria Espriu. L'objecte de la novel·la és un altre, tal com especifica un fragment metaficcional del primer capítol que ha estat sistemàticament ignorat o mal interpretat pels crítics. És a causa d'aquest fragment que de *Mort de dama* es podria dir el mateix que Benjamín Jarnés va dir sobre *Contrapunt* (1928), la novel·la de Huxley: «*Contrapunto*, como todo frasco de buen específico, lleva dentro su propio análisis y aun el modo de usar la droga. No engaña a nadie» (citat a Ródenas 1998, p. 93). En paraules de Domingo Ródenas de Moya, la novel·la de Huxley és «una novela con prospecto, con instrucciones de uso; una novela que prescribe su propia lectura, pero no por ello una novela *interpretada*» (1998, p. 93).

El primer capítol de *Mort de dama*, «Escenari», ofereix una descripció del marc geogràfic de la novel·la. Es tracta d'una Palma de Mallorca ficcional on coexisteixen dos mons. D'una banda hi ha el barri aristocràtic i burgès, habitat o freqüentat per la majoria dels personatges: «El barri és venerable, noble i silenciós, amb carrers estrets i cases amples, que semblen deshabitades» (p. 11). De l'altra, hi ha el món dels estrangers, que es concentra als afores de la ciutat:

> A l'altre cap de la ciutat, a les afores [...] es belluga un món colonial, compost de pintors, turistes, senyores que fumen. Són gents estranyes, que es banyen a l'hivern i viuen d'espatlles a la religió. Fabriquen *cock-tails* endiablats. Donen balls i tes. (p. 12)

Aquest marc o escenari evoca el de Vetusta, amb el seu *barrio de la Encimada*, «el barrio de la catedral», i la seva *Colonia*, «el barrio nuevo de americanos y comerciantes del reino» (Alas 1969, p. 18). Com a *La Regenta* (1884-85), a *Mort de dama* la catedral també projecta una ombra protectora sobre el barri antic, que es diferencia de *el barrio de la Encimada*, «el barrio noble y el barrio pobre de Vetusta», on viuen plegats «[l]os más linajudos y los más andrajosos» (1969, p. 17), perquè només hi viuen l'aristocràcia, la burgesia i l'element clerical.[5]

El món d'aristòcrates, burgesos i canonges, i la colònia es-

5. A la Palma de Mallorca de Villalonga no hi ha cap barri obrer equivalent a *el Campo del Sol* de Vetusta.

trangera, situats respectivament al centre i a la perifèria de la ciutat, són mons oposats. El barri dels primers es distingeix pel seu caràcter antic («venerable»), que es manifesta tant en les cases mallorquines que el narrador no es pren la molèstia de descriure («[n]o descriuré una vegada més el que és una antiga casa mallorquina» [p. 12]) com en els hàbits i el llinatge d'unes «senyores» que «descendeixen de la Conquista de Mallorca» i al capvespre «van a la novena i resen pels avantpassats» (p. 14). Com la «soñolienta Vetusta» de Clarín (1969, p. 105), també es distingeix per la inacció («[e]ls senyors, els canonges i els gats viuen en una perpètua sesta» [p. 13]), per una peresa ambiental que reflecteix el tarannà dels gats («[e]l gat exigeix silenci, ordre i netedat, com un filòsof escolàstic: els renous del món no el deixari[e]n meditar» [p. 11]), dels canonges («[e]ls gats i els canonges guarden analogies», [p. 12]), i dels aristòcrates i burgesos («[l]'aristocràcia, la burgesia, també anhelen reposar» [p. 12]). La religió és, almenys superficialment, un dels costums del barri antic.[6]

En comptes de cases antigues, al món colonial dels afores hi ha els hotels del turisme illenc: «Vora la mar, al peu de les muntanyes de pins olorosos, s'alcen els grans hotels: Hotel Oriana, Hotel Mare Nostrum, Hotel Pollença...» (p. 14). En comptes de senyores que descendeixen de la Conquesta de Mallorca i cada capvespre van a la novena a resar pels seus avantpassats, aquí hi ha «estrangeres banals [que] riuen amb rialles argentines i lleugeres, en maillot de bany» (p. 14). La noblesa, la solemnitat, la calma del barri antic aquí cedeixen el lloc a «la dinàmica dels esports, els indecorosos balls moderns i les veus en llengües estranyes» (p. 15). A Palma es nota una mínima influència dels costums de la colònia estrangera, però el barri antic no se n'adona:

6. P. Louise Johnson detecta la presència de *L'illa de la calma* (1922), de Santiago Rusiñol, a l'escenari de *Mort de dama* i altres indrets de l'obra de Villalonga (2002, pp. 192-200).

Alguna senyoreta indígena, en els tes quasi litúrgics del casino, demana ja *cock-tails* de ginebra i vermut. Dues d'elles, al carnaval, s'atreviren a encendre una cigarret[a]. L'aire està carregat de pre[s]agis... Però el barri antic no se n'adona. A les platges estava privat que els homes passessin a la part de les senyores. Les americanes escamotegen aquesta llei passant elles a la part dels homes. Tal volta alguna mallorquina exaltada les imita. El barri antic no se n'adona. (p. 13)

L'escenari físic de *Mort de dama* s'assembla a la Vetusta de Clarín, però l'escenari moral no és gaire diferent al d'altres novel·les espanyoles d'avantguarda:

> Frente a las formas de vida y de conducta cosmopolitas, importadas del extranjero, los narradores vanguardistas españoles adoptan, más bien, una posición ambivalente: les atraen por su novedad y por su efecto liberalizador sobre el provincialismo y la gazmoñería de nuestras costumbres, pero perciben en ellas —y denuncian mediante la ironía y la sátira— la frivolidad y la deshumanización que entrañan. (Fuentes 1972, p. 216)

Un cop dibuixat l'escenari de la novel·la, trobem el fragment metaficcional que he esmentat abans:

> En aquest barri, en fi, i entre aquesta aristocràtica burgesia del segle XIX, és on Dhey va a situar la seva narració. Forçosament haurà de resultar minúscula. Si aquestes persones es troben tan desproveïdes d'alè vital, com se li ha ocorregut a Dhey compondre amb elles una novel·la? Bah, Dhey no ha volgut fer precisament una novel·la. Dhey s'assembla bastant als éssers que retrata: ni dramatismes ni gest[o]s desacompassats. El petit val tant com el gran. Lleugerament, sense posar-hi molta fe, perquè no val la pena, Dhey ha volgut anotar, a la llum suau de l'humorisme, alguns mínims motius de riure... (pp. 16-17)

La informació que conté aquest fragment és decisiva per situar *Mort de dama* en el context de la novel·la d'avantguarda. La seva metaficcionalitat ja és, en si mateixa, molt simptomàtica: l'autoconsciència és una característica destacada de la literatura d'avantguarda i, en general, del *Modernism*.[7] En principi, aquí s'explicita l'objectiu de la novel·la, que a través del narrador s'autodefineix com a no-novel·la: «Dhey no ha volgut fer precisament una novel·la». Ja hem vist que Brachfeld comparava *Mort de dama* amb «la majoria de les pseudonovel·les franceses dels nostres dies». Podríem acordar que si *Mort de dama* no és una novel·la és perquè no és una novel·la tradicional, de les que segueixen el model realista i naturalista del segle XIX contra el qual reacciona la narrativa d'avantguarda. La seva modernitat una mica tardana rau precisament en la desestabilització de les convencions de la novel·la del segle XIX. Com explica Gustà amb una certa cautela,

> potser l'aportació de *Mort de Dama* a la novel·la catalana contemporània té menys a veure amb un freudisme superficial, sobre el qual Villalonga es permet més d'una ironia, que amb la concepció global de la novel·la com a pràctica implícitament antinovel·lística, dins l'òrbita dels textos de ficció que fins aleshores havia publicat. És possible fer una lectura de *Mort de Dama* en termes de crítica del gènere, de professió d'antirealisme des de la qual pren tot el seu sentit l'ús de la tradició costumista: així, per exemple, cal entendre l'autonomia dels personatges que es permeten de posar entrebancs al desenrotllament previst dels fets (dona Obdúlia decideix alternativament morir[s]e o no morir-se), o el fet de transportar tot el ritual funerari a les hores que precedeixen la mort per posar-ne en relleu formalismes i formulismes; i, sobretot, el tractament hiperbòlic de personatges i situacions, i les interferències del narrador que mostra, de tant en tant, com mou els fils i que crida l'atenció constantment sobre els convencionalismes de la tradició novel·lística tot mostrant-ne les febleses. (1988, pp. 133-134)

Gustavo Pérez Firmat planteja l'oposició entre modernitat i tradició literària, entre narrativa d'avantguarda i novel·la del segle XIX, com si es tractés d'una lluita de classes:

7. «Recorriendo al concepto de dominante [...], propongo considerar que la dominante de la ficción contemporánea, esto es, la que queda amparada bajo las etiquetas de Modernismo y Posmodernismo, es autorreferencial» (Ródenas 1998, p. 87).

> L'aparició de la novel·la d'avantguarda precipitarà una lluita de classes, no pas entre grups socials, sinó entre classes literàries. [...] el lloc de la novel·la d'avantguarda en el discurs de la crítica dels anys vint i trenta s'entén sense tenir en compte la incompatibilitat del gènere amb la forma de novel·la dominant i la lluita per la precedència a què va donar peu aquesta incompatibilitat. (1993, p. 7)

La narrativa d'avantguarda vol ser una alternativa a la novel·la tradicional i, per tant, es defineix per oposició a aquesta novel·la, en termes negatius: la nova narrativa o la nova novel·la *no és* el que era la novel·la tradicional. La diferència entre l'una i l'altra s'embolcalla d'hostilitat:

> L'hostilitat de la novel·la d'avantguarda envers el gènere canònic fa que les dues classes competeixin cara a cara. No es tracta simplement que els dos gèneres siguin diferents, com una elegia és diferent d'una oda; la qüestió és que totes dues aspiren a ocupar el mateix terreny, el mateix «espai discursiu», és a dir, el que en general es designa amb la paraula «novel·la». (1993, p. 31)

La novel·la d'avantguarda aspira a ocupar el terreny de la novel·la tradicional, del gènere canònic, i al mateix temps malda per ser diferent. Una conseqüència lògica d'aquesta situació és que la paraula «novel·la» esdevé problemàtica. Per això apareixen paraules noves per designar les obres literàries que no s'adapten al model de la novel·la tradicional: Unamuno s'inventa el terme «nivola» (1914), Gerardo Diego utilitza el de «noveloide» en relació amb el relat «Cuadrante» (1926), i Azorín afegeix el subtítol «pre-novela» a *Surrealismo* (1929), per esmentar tres casos prou coneguts. «Dhey no ha volgut fer precisament una novel·la», afirma el narrador de *Mort de dama*, i mitjançant aquesta afirmació Villalonga participa en el discurs de la crítica dels anys vint i trenta que remarca la incompatibilitat entre novel·la nova i novel·la tradicional. El narrador de Villalonga no s'inventa cap paraula per designar la seva novel·la, però fa avinent la falta d'idoneïtat de *novel·la*. Com demostra una frase que deixa caure al capítol disetè («... i la neboda Violeta de Palma»), només hi recorre perquè no en té cap de millor: «L'autor de la present digam-li novel·la [...]» (p. 153).

El narrador d'aquesta «pseudonovel·la», per fer servir el terme de Brachfeld, parla de «narració» («[e]n aquest barri [...] és on Dhey va a situar la seva narració») i, significativament, de narració «minúscula», adjectiu coherent amb una frase posterior del fragment citat, «[e]l petit val tant com el gran», que ens remet a *Ideas sobre la novela*, on Ortega insisteix que el novel·lista no ha de voler provocar l'interès del lector amb el relat d'aventures insòlites que li eixamplin l'horitzó de cada dia. Al contrari:

> La táctica del autor ha de consistir en aislar al lector de su horizonte real y aprisionarlo en un pequeño horizonte hermético e imaginario que es el ámbito interior de la novela, tiene que *apueblarlo*, lograr que se interese por aquella gente que le presenta, la cual, aun cuando fuese la más admirable, no podría colidir con los seres de carne y hueso que rodean al lector y solicitan constantemente su interés. (1957a, p. 409)

La feina del novel·lista consisteix a introduir el lector en un món ficcional que resulta interessant pel fet de ser un món i no per les coses que hi passen:

> Ningún horizonte [...] es interesante por su materia. Cualquiera lo es por su *forma*, por su forma de horizonte, esto es, de cosmos o mundo completo. El microcosmos y el macrocosmos son igualmente cosmos; sólo se diferencian en el tamaño del radio; mas para el que vive dentro de cada uno, tiene siempre el mismo tamaño absoluto. (1957a, pp. 409-410)

Dit d'una altra manera: «El petit val tant com el gran». Abans que Ortega i Villalonga, Virginia Woolf ja havia arribat a la mateixa conclusió: «No és pas segur que la vida existeixi més plenament en el que es considera gran que en el que es considera petit» (1966, p. 107).[8]

8. Eugeni d'Ors recorda un «mot formidable» de Flaubert: «N'hi ha prou amb esguardar llargament una cosa [...] perquè [...] esdevingui interessant» (1992, p. 282).

En aquest fragment metaficcional, hi ressonen dos ecos més d'Ortega. En primer lloc, les «persones» amb què Dhey ha construït la seva narració «es troben tan desproveïdes d'alè vital» perquè són, en general, personatges deshumanitzats, en el sentit que Ortega utilitza la paraula a *La deshumanización del arte* (1925): Miquel Ferrà no anava pas desencaminat en acusar-lo de crear «ninots buits de substància humana». En segon lloc, tal com apareix a l'edició de 1931, és lògic suposar que a l'última frase del fragment, «Dhey ha volgut anotar, a la llum suau de l'humorisme, alguns mínims motius de riure...», hi ha una errata: en edicions posteriors aquests «mínims motius de riure» es convertiran en uns «mínims motius de viure», i és així perquè Dhey es mostra partidari de l'«infrarrealismo» (catalogat per Ortega com l'eina més senzilla de deshumanització), perquè vol fer «un arte donde aparezcan en primer plano, destacados con aire monumental, los mínimos sucesos de la vida» (Ortega 1957b, p. 374).[9]

Els ecos d'Ortega no són pas els únics que ressonen en aquest fragment. Si «Dhey s'assembla bastant als éssers que retrata: ni dramatismes ni gest[o]s desacompassats» és perquè segueix la consigna noucentista d'un Eugeni d'Ors que el 1910 escrivia: «Es tracta de no desacompassar el gest... Es tracta de no donar laxitud a la pompa desordenada dels instints... Es tracta de vigilar-se, de vigilar-se, de vigilar-se!» (1950, p. 1349). I si el narrador informa que «[l]leugerament, sense posar-hi molta fe, perquè no val la pena, Dhey ha volgut anotar, a la llum suau de l'humorisme, alguns mínims motius de [v]iure...», no ho fa pas només perquè sigui partidari de l'«infrarrealismo» deshumanitzador de què parla Ortega, sinó també perquè está d'acord amb Ramón Gómez de la Serna que «[n]o se propone el humorismo corregir o enseñar, pues tiene ese dejo de amargura del que cree que todo es un poco inútil» (1930, p. 351). A *Mort de dama*, el «dejo de amargura»

9. A les edicions posteriors, aquesta frase apareix al capítol «La meva neboda Maria Antònia», i el «llibre de viure» es converteix en «un llibre de riure» o «un libro de humor», segons la versió.

(Alomar en diu «una certa melancolia pessimista» [1931, p. 9]) sorgeix del fet que el narrador és conscient d'enregistrar l'ensulsiada d'un món, el final d'una època, un món o una època simbolitzats per Dona Obdúlia. El primer capítol acaba així: «Però, abans que tot s'enruni, Dhey desitjaria fixar [...] algunes de les escenes exemplars en què s'ha desen[r]otllada la seva infància» (pp. 17-18). La infantesa de Dhey encara pertany al món de Dona Obdúlia, que és a punt de desaparèixer. El seu present coincideix amb un moment de transició entre el món de la vella senyora i el món que l'ha de substituir:

> En este momento de transición, en que se ve lo que va a desaparecer ya de algún modo como desaparecido, y no se ve aún lo que aparecerá de nuevo en toda su rotundidad, el humorismo es puente ideal. (Gómez de la Serna 1930, pp. 355-356)

L'humor deshumanitza la mort simbòlica de Dona Obdúlia. Els últims dies de la vida d'una persona molt malalta, moribunda, no són cap broma, però els últims dies de Dona Obdúlia són precisament això: una broma. La seva malaltia i la seva mort estan mancades de patetisme. La mena d'enterrament que s'imagina en una conversa amb Miss Carlota Nell (pp. 64-65) o la seva manera de reaccionar a la informació de la premsa sobre la gravetat de la malaltia que l'afligeix (pp. 171-172) en són dues proves. La mort de Dona Obdúlia ficcionalitza la idea de Gómez de la Serna que «la broma más grande es el morir» (1930, p. 376).

La crítica posterior a la Guerra Civil tendeix a creure que entorn de 1928, després d'escriure unes quantes narracions sense gaire interès, Villalonga talla la seva connexió amb l'avantguarda. Alguns estudiosos entenen que *Mort de dama* és una primera novel·la imperfecta, precària, sense gaire volada. Villalonga els va donar la raó en diverses ocasions. Al meu entendre, però, la imperfecció, la precarietat i la poca volada només es poden retreure a la primera edició, i només per raons lingüístiques. Retreure-li que sigui una caricatura excessiva o «injusta», o la falta d'«ambició creativa» relacionada amb la història, em sembla improcedent: a *Mort de dama* no se li pot exigir que funcioni com una novel·la realista o naturalista perquè no ho és. És una novel·la d'avantguarda, experimental i, en aquest sentit, convindria no perdre de vista que,

> tan bon punt els escriptors es converteixen en membres prominents del cànon, és obvi que es tendeix molt menys a destacar el caràcter experimental de les seves obres. Almenys retrospectivament, se suposa que l'experimentació no concorda amb la respectabilitat. (Eysteinsson 1990, p. 154)

2. Obdúlia Montcada, entre *La deshumanización del arte* i el *Glosari*

A primera vista Obdúlia Montcada, un dels tres personatges femenins realment importants de *Mort de dama*, no té secrets. La seva mort s'anuncia al principi de la novel·la, que coincideix amb el final de la història, i justifica la decisió del narrador de fer-nos conèixer aquesta senyora de l'aristocràcia palmesana, «la primera dama de Mallorca» (1931, p. 138), i el seu món. A partir d'aquí, la novel·la s'organitza entorn d'una sèrie d'analepsis d'abast diferent que mostren aspectes del caràcter, la vida i l'*entourage* de Dona Obdúlia: les seves joies, els seus vestits, la gent que la vetlla i aspira a heretar la seva fortuna, o les visites que rep en el transcurs de la seva malaltia inconcreta, entre les quals hi ha el marquès de Collera, cap del partit conservador de Mallorca, i Aina Cohen, la poeta jueva que escriu en català i malda per integrar-se en una societat d'aristòcrates i burgesos antisemites.

Dona Obdúlia és simplement un dels ninots sense «alè vital» (p. 16) de què Dhey es val per «anotar, a la llum suau de l'humorisme, alguns mínims motius de [v]iure...» (p. 17). La seva qualitat de ninot de seguida es fa evident al capítol «Un retrat amb quatre dades genealògiques», que ens situa en el dia concret en què Dona Obdúlia s'adona de la seva mort imminent, i la presenta com una senyora vella i molt ignorant:

> Conservava en els vuitanta set anys la mateixa intel·ligència, clara i esca[ss]íssima, que en els vint-i-cinc. Les veritats fonamentals que arribà a captar D.ª Obdúlia foren senzilles: sabia que les cases amb les entrades estretes són cases mossones; que la noblesa de Palma és la primera del món i que la família Montcada és la primera entre totes les famílies de Mallorca. (p. 19)

Dona Obdúlia és una senyora «quasi analfabeta», d'un analfabetisme que no li impedeix haver-se llegit «els quatre toms de la vida del beat Joan de Montcada», bisbe de València a l'època de Felip III, un «il·lustre cretí» (p. 19) a qui el narrador acusa d'haver contribuït a l'expulsió dels «moros» (p. 20) d'Espanya. A més de les «veritats fonamentals» esmentades, Dona Obdúlia també «[c]omprenia [...] que el món es divideix en dos grups molt grans: el de les persones sensates, que pensen com ella, i el dels perturbats, que opinen d'una altra manera» (p. 20).

Aquesta «vídua rica i octogenària» (p. 21), que havia estat casada amb un coronel d'artilleria, posseeix una «bona memòria» (p. 20), o almenys prou memòria per recordar que el 1869 el seu marit va rebre un autògraf de Don Carlos i que el 1902 un Borbó va elogiar una de les seves joies. Li agraden «les festes i l'animació» (p. 20), és una persona essencialment urbana («[e]l camp l'avorria», excepte per fer-hi «dinars i tes, amb molta de gent» [p. 20]) i avara, una característica que comparteix amb la poeta Aina Cohen i que, més que innata, resulta adquirida. Aquesta «avarícia» (p. 20) sovint l'empeny a fer-se convidar pels parents:

> Al present no menjava mai a ca seva. Trobava natural que els parents la mantinguessin, i sols de tard en tard, per justificar la seva conducta, s'entregava a les efusions familiars, declarant que la solitud l'entristia. (pp. 20-21)

Els parents coneixen l'afició de Dona Obdúlia per «les frases vagues» (p. 21) que els auguren un cert protagonisme en el seu testament. És clar que la temperatura de la relació de la dama ignorant amb la família no la donen pas les «frases vagues», sinó la seva actitud sovint arbitrària, bel·ligerant i, en definitiva, energumènica: «Generalment la senyora usava un llenguatge goyesc i s'enfuria contra els parents a la més petita contrarietat» (p. 21). (Més endavant el narrador al·ludirà a «la seva imaginació goyesca» [p. 65] a propòsit de la visita de Miss Carlota Nell, i la qualificarà de «goyesca incorregible» [p. 92] en reportar la seva franca opinió sobre la mort del marquès de Collera en un prostíbul.) Pel que fa a la relació amb la família, Dona Obdúlia es deixa guiar per un «instint mundà, afinat per [molts] d'anys de vida social», que és la causa de la seva poca predisposició a l'amabilitat, «sabent per experiència que seria més festejada quan més impertinent es mostràs» (p. 21).

A la seva plenitud, aquesta dama de «temperament tan medul·lar» (el narrador en ressalta «la força dels instints» [p. 21]), va ser una dona opulenta, que els dies de festa, a l'hora de vestir-se, feia treballar de valent la modista per «apresonar bé totes les [seves] adipositats» (p. 102). Un cop vestida, Dona Obdúlia, com «una vaca tres voltes sagrada» (p. 103), s'oferia a l'admiració dels veïns. El temps, però, ha convertit aquesta «foca isabelina» (p. 155) en una desferra o, més concretament, en una desferra d'esperit isabelí:

> Físicament, després d'haver estat una senyora isabelina, amb pits abultats i tualetes vistoses, era en la senectut una caricatura de pepa fràgil. Els anys, que no perdonen, s'engoliren els seus encisos adiposos. Les mans i els peus eren senyorials. L'esperit el seguí conservant isabelí. (pp. 21-22)

Tot i que forma part de l'aristocràcia palmesana, Dona Obdúlia

> té instints originals i xabacans; és apassionada i voluble. A força de no pensar, els seus actes pareixen a vegades inspirats per una veu interior... I així la seva inconsciència esdevé bíblica. En ocasions profetitza. El diable, que és tan pintoresc, la dotà de tots els secrets de l'expressió, que és sempre valenta i no poques vegades oportuna, d'una desinvoltura pleble[a]. (pp. 22-23)

Tot seguit, en un fragment que en prefigura un altre de molt significatiu a *Bearn* en què Joan Mayol confessa haver sentit la temptació de recórrer a Zola per explicar-se la immoralitat de Xima, el narrador suggereix que «[e]ls aficionats a estudis de sang», entossudits a considerar l'herència com una llei científica, trobarien la raó de ser de «l'interessant psicologia» (p. 23) de Dona Obdúlia en el seu arbre genealògic. Encara que opta per no pronunciar-se sobre qüestions de genealogia perquè «són obscures i resulta exposat aventurar res», assegura que

> Donya Obdúlia era producte d'una aliança desigual. Son pare [...] s'havia casat en els seixanta anys amb una noia pobra, filla d'una coneguda pecadora de la ciutat, que morí al donar a llum. Per part de mare tenia D.ª Obdúlia un cosí fuster i una neboda que rodava pels music-halls, a Barcelona o a València. Per part de pare co[mp]tava amb ascendents pirates —els fundadors— mercaders, barons [i] sants. (p. 23)

La seva vulgaritat seria una conseqüència de la genealogia materna: «Cada dia que passava mostrava instints més xavacans, com si la sang materna es volgués venjar de les humil·liassions que li devien haver inferit els Montcades» (p. 155).

Així, Obdúlia Montcada inaugura una galeria de personatges villalonguians més o menys aristocràtics, com Don Toni i Dona Maria Antònia a *Bearn*, o la Gertry Seymour de *Desenllaç a Montlleó*, amb un arbre genealògic que posa de manifest l'origen plebeu de totes les aristocràcies.

De Dona Obdúlia també sabem que té una sèrie de joies, entre les quals hi ha el *cometa*, «un estel de diamants amb una llarga cua» (p. 31), i «una nombrosa col·lecció de vestits de seda»: el més notable és el vestit lilà, que el 1790 ja pertanyia a la família i al llarg dels anys ha experimentat «fondes modificacions» (p. 29), seguint el dictat de les diverses modes:

> En 1790 era un vestit en paniers, falda molt ampla i una guirnalda de roses rodetjant l'escot en forma de cor. En 1793 [...] l'àvia de D.ª Obdúlia reformà el vestit lilà. Es suprimiren els paniers i s'estrengué un poc la falda, perquè pareix que en

> 1793, al contrari d'avui, les faldes amples eren i[m]morals. L'escot quedà tal com estava. Cap al romanticisme el vestit lilà sofrí que li afegissin unes mànegues en forma de pernil. En 1880 les roses del cos foren substituïdes per atzabatxe negre. Actualment la fantasia de D.ª Obdúlia ha recobert el vestit d'unes admirables blondes falsificades. (pp. 29-30)

En acostar-se el desenllaç de la seva malaltia, Dona Obdúlia, «tan maniosa abans, amb tanta por a la mort», no vol saber res de cap tractament, es nega a prendre «les drogues inútils» (p. 49) que li recepten els dos metges que segueixen la seva evolució i està «satisfeta» amb la seva condició de «seriosament malalta» (p. 172) o de «mig morta» (p. 171). Moribunda, parla amb animació de la seva joventut, la compara al moment present («[a]vui es homes es diverteixen amb perdudes. És veritat que avui no hi ha dones, sols hi ha graneres. Jo he estat molt ben formada...» [p. 55]) i descriu «els seus passats en[c]isos adiposos exagerant-los fins a la monstruositat» (p. 56).

Malgrat ser néta d'una «daifa» (p. 24) que pispava els rellotges d'or dels seus clients, Dona Obdúlia és classista i lamenta la porositat dels compartiments socials, que facilita el contacte entre l'aristocràcia i la classe treballadora, entre senyors i criats:

> —[...]. Avui tot està mesclat, ja no hi ha res. En es *Círculo* no hi va més que gentussa, heu perdut sa idea de ses classes. Es confessor em deia que una criada pot valer tant com una senyora. Jo no dic que al cel no hi poguem anar tots, ja ho veurem, però al *Círculo* no haurien d'admetre més que persones decents. (pp. 56-57)

Aquesta defensa visceral d'una societat classista no s'adiu gens amb un altre aspecte del seu caràcter: «filla d'una dona del poble contemporània d'Isabel II, criada a l'època confosa del fi de segle i amb molta més vanitat que orgull, era, en el subconscient, populatxera» (p. 61). És per això, perquè «donya Obdúlia és populatxera» (p. 138), que l'amoïna la possibilitat que el seu enterrament no sigui tan multitudinari com el del marquès de Collera, al qual han acudit, a més de l'aristocràcia, «totes les classes socials, batlles de poble, cacics, periodistes, etc.» (p. 138).

Quan està desperta, Dona Obdúlia frueix imaginant-se el seu propi enterrament, «que prometia veure's lluïdíssim», i recorda l'«apoteosi» (p. 63) de l'enterrament del seu marit, que va tenir lloc fa quaranta anys, quan ella s'acostava a la cinquantena. També recorda que aleshores molta gent va pensar que es casaria amb el primer que passés i presumeix de la seva fidelitat al difunt: «jo no he mirat mai a cap home més que es meu. Ningú, ni de viuda ni de casada, pot dir res de mi» (p. 63). Per això el narrador li atribueix

> una honestedat agressiva que, segons la psicoanàlisi, no era sinó la repressió d'una líbido poderosa. Encara ara, quan insultava les atlotes joves que duien la falda curta, ho feia amb tal violència que més que defensar els principis de la moral pareixia que venjava una causa pròpia. I així era sens dubte, perquè la seva subconsciència es rebel·lava en considerar que ella, que havia estat la dona més bella del món, mai no pogué lluir les cames en públic, com les desvergonyides d'avui. (pp. 63-64)

La fidelitat al seu marit, que era «un cretí» (p. 139), li hauria suposat un esforç considerable, fins i tot abans d'enviudar. De fet, «D.ª Obdúlia sempre havia estat molt libidinosa» (p. 139) i «fins a la mort conservà el seu sensualisme cerebral» (pp. 158-159). Com que era «plebea per temperament» i posseïa «una visió direct[a] de les coses», per a ella «l'univers no havia produït meravelles superiors a un home ben plantat» (p. 139). A Dona Obdúlia no li agraden els homes de «musculatura pobr[a]», sense «alè vital», com el pretendent que un dia se li va insinuar, sinó «els cotxers joves i els assistents del [seu] marit» (p. 140), un dels quals intenta seduir sense èxit.

Més vital que totes les persones que l'envolten («[e]ls guanyava a tots en vitalitat» [p. 158]), Dona Obdúlia s'atorga el dret de dir el que li ve de gust, un dret que tant li serveix per «piropejar els soldats» (p. 158) com per emetre des del llit de moribunda un judici contundent sobre la mort del marquès de Collera en un prostíbul, sobre la presumpta saviesa o sobre la sexualitat d'aquest aristòcrata local (pp. 92, 132, 133).

Com altres personatges villalonguians que personifiquen la fi d'un món, Dona Obdúlia no té fills. La seva «manca de descendència» i la seva «fortuna» (p. 70) provoquen una pugna sorda i poc edificant entre diverses figures femenines que aspiren a heretar-la. Una d'aquestes figures és la baronessa Maria Antònia Bearn, neboda arruïnada de Dona Obdúlia, que manipula el seu confessor perquè intenti convèncer la tia de la conveniència de canviar el testament (Dona Obdúlia ha testat a favor de Remei Huguet, «paràsit obligat de tota casa bona» [p. 27]) per fer-la hereva a ella. El capteniment senyorívol de la baronessa, descendent d'una antiga família de l'aristocràcia que sap imposar-se amb «insinuacions capcioses, plenes de gràcia i de naturalitat», contrasta amb el de la tia, que s'imposa «d'una manera brutal i un poc improvitzada» (p. 72), com correspon a una persona d'origen plebeu, o mig plebeu.

La màgia de les paraules «la meva neboda M.ª Antònia», el prestigi del llinatge aristocràtic d'aquesta neboda, posseïdora d'«una de les [baronies] més antigues d'Europa» (p. 149) (el seu origen, com el de Don Toni i Dona Maria Antònia a *Bearn*, es perd dins la foscor del temps), és la causa d'«un indubtable i tendre acatament involuntari» (p. 147) per part de Dona Obdúlia. Però la dama és «llunàtica», i «les qualitats que la seva subconsciència es veia obligada a acatar, l'irritaven moltes vegades, humillant-l[a]» (p. 151). D'aquí la seva actitud ambivalent, feta d'admiració i antipatia, envers la baronessa.

L'actitud de Dona Obdúlia envers Violeta, la «neboda artista» (p. 155), és molt diferent, però també revela una certa ambivalència. És cert que Dona Obdúlia no presumeix gaire del parentiu amb Violeta, «una dona vulgar, tocada de snobisme», que «[t]enia, com la tia en el seu temps, els pits abultats i les mans petites», però l'ambivalència es fa evident en la seva reacció quan a vegades la veu a la revista *Blanco y Negro*: «Aquesta porca... Així era jo. I mira que hi va ben vestida. No faltarà qui li pagui...» (p. 156). En efecte, «Violeta se li [assembla], tant en la part física com en el gust per tot quant brilla» (p. 158), perquè Dona Obdúlia té mal gust, com demostren «[e]ll criteri isabelí que l'impulsava a carregar amb pedres falses una joia antiga, tot i confiant que al costat de les bones passarien per vertaderes» (p. 62), o les reformes que ha portat a terme a casa seva:

> La casa de D.ª Obdúlia artísticament no valia gran cosa, perquè la senyora, a l'època en què donava les seves festes esplendoroses, l'havia anat modernitzant amb el mateix criteri que ho hauria pogut fer una pentinadora; però el psicòleg tenia de vibrar al davant d'aquells miralls amb marc de peluix i d'aquell[e]s litografies en colors, que representaven jardins amb escalinates i damiselles amb ombrel·les obertes, tot llegint un llibre de versos, en actitud somniosa. Producte del fi de segle, indisciplinat i confús, l'esperit de la senyora escrivia la paraula *Capritxo* damunt tot el que la rodejava: tant se li endonava penjar una pandereta al costat d'un quadre de Zurbarán, com cosir-se unes arr[a]cades de diamants al començament d'un plec de la falda de vellut. Les nits de sarau els salons apareixien decorats amb palmeres i miralls supernumeraris, amb la qual cosa adquirien un aire de cafè popular o de barberia. Les males llengües deien que aquests miralls eren les llunes dels armaris de donya Obdúlia, que aquells vespres abandonaven les cambres desertes, com si la [solitud] els entristís, igual que a la propietària, per anar a col·locar-se desgraciadament, l'un vora d'una autèntica consola Lluís XVI i l'altre sobre un tapís de certa qualitat, que representava el blasó barroc, patològicament vanitós, dels Montcades. (pp. 100-101)

Dona Obdúlia morirà «en pecat mortal», «com els rèprobes», després de «vessar d'una manotada els olis de l'extremaunció» (p. 173), de riure's de la Beata Catalina «perquè era una beneita, que no va fer res» (p. 172), segons el que hauria dit Gabriel Alomar a *La Libertad*, i de canviar el testament a darrera hora. Aquest testament autògraf, redactat «en un estil pintoresc, ple de vanitat i faltes ortogràfiques» (pp. 173-174), fa «hereva universal a la neboda perduda, la desvergonyida Violeta de Palma» (p. 173).

Si hem de fer cas a Miquel Villalonga, Obdúlia Montcada és una caricatura literària d'una tia de la família: a l'*Autobiografía* parla dels dos fills grans d'un besavi, un dels quals va arribar a coronel de l'exèrcit espanyol, com el marit de Dona Obdúlia, i va morir sense descendència, tot i que «[h]abía casado con aquella isabelina y pintoresca Doña Obdulia —en vida, Rosa Ribera—, que mi hermano Lorenzo noveló en *Muerte de Dama*» (1983, p. 26). Després, a propòsit de la recepció de la novel·la per part dels membres de l'Escola Mallorquina, afirma: «Constituía una obra de clave por lo que respecta a la figura de Obdulia Montcada, verídico retrato de tía Rosa Ribera, en la cual los intelectuales de la isla no se fijaron de momento» (1983, p. 293), i assenyala el simbolisme d'aquest personatge alhora que insisteix a identificar-lo amb el model real: «*Mort de Dama* puso el R.I.P. funerario a la última señora isabelina de Mallorca, simbolizada en la figura de doña Obdulia Montcada; es decir, de tía Rosa de Ribera» (1983, p. 299). Al llarg de l'*Autobiografía*, la identificació entre Rosa Ribera i Obdúlia Montcada arriba fins al punt que Rosa Ribera hi és al·ludida sistemàticament com a Obdúlia Montcada.

Joaquim Molas ha datat la composició de *Mort de dama* entorn de 1920, quan Villalonga devia escriure «un pamflet contra una tia, Rosa Ribera, gasiva i extravagant, que, contra tota lògica social, s'havia atrevit a desheretar-lo» (1966, p. 16). Més tard el novel·lista hauria convertit «el vell pamflet privat» en una altra cosa, «en una caricatura, sovint, cruel i injusta de tota una societat en crisi» (1966, p. 16). Per a Molas, «Dona Obdúlia, contrafigura literària de la històrica Rosa Ribera, reprimida, vanitosa, gasiva i populatxera, tipifica el món aristocràtic en crisi» (1966, p. 17) de la Mallorca de començaments del segle XX, una teoria que el mateix Llorenç Villalonga qüestiona a *Falses memòries de Salvador Orlan*, on Orlan/ Villalonga utilitza l'estratègia d'identificació entre Rosa Ribera i Obdúlia Montcada que el seu germà ja havia assajat a l'*Autobiografía*: «Hauré de parlar de la tia Obdúlia perquè [...] jugà, en inspirar-me *Mort de dama*, un paper important en la meva migrada producció literària» (1982, p. 47). Més endavant escriu:

> Fou a finals de 1931 quan [...] vaig trobar un editor per a aquella *Mort de dama* que dormia feia anys dins un calaix [...]. L'obra havia circulat mecanografiada i havia estat discutida. Alguns hi veien, equivocant-se, una sàtira contra l'aristocràcia;

> altres la creien contrària a la tradicional poesia vernacla i els més entesos la consideraven una diatriba contra la meva tia Rosa Ribera, a la qual l'autor, malèvol, atribuïa un origen plebeu per part de mare i una neboda cupletista que era pura invenció calumniosa. (1982, p. 132)

Llompart suposa que la «primera redacció esquemàtica» de *Mort de dama* era «una mena de pamflet contra dona Rosa Ribera (l'Obdúlia Montcada de la novel·la), tia dels germans Villalonga, que, indisposada amb ells, els havia desheretat» (1973, p. 231). La novel·la s'hauria estructurat a partir d'aquest «pamflet» o «nucli inicial» (1973, p. 231), i el personatge de Dona Obdúlia seria una caricatura de l'aristocràcia mallorquina:

> En la seva ancianitat actual i en una joventut i maduresa evocades, la dama se'ns presenta a través d'una caricatura magnífica, i ensems complexa, d'ella mateixa i de la tronada aristocràcia mallorquina que ve a simbolitzar. (1973, p. 235)

Vidal Alcover també creu que Villalonga va enllestir una primera versió de *Mort de dama* quan «era un adolescent de vint anys», i sospita que aquesta versió «no [passava] d'esser [...] una *nouvelle* reduïda a la noble dama i al seu *piccolo mondo*», que després va créixer fins a adquirir les dimensions d'una novel·la, ja que el «ressentiment» de Villalonga «contra aquella parenta orgullosa i botifarra a mitges» s'havia intensificat «amb el que li produïa el bàmbol, restret i sobretot —segons ell— *parvenu* horitzó intel·lectual de Mallorca» (1980, pp. 60-61). Així doncs, Vidal Alcover constata que «dona Obdúlia Montcada, el personatge més lleugerament caricaturitzat de *Mort de dama* [...], és, segons l'autor, el viu retrat de dona Rosa Ribera» (p. 65).

Segons Marina Gustà, va ser a l'estiu de 1921 que Villalonga va escriure la primera versió de *Mort de dama*, aleshores «només un libel contra una parenta, Rosa Ribera, vídua d'un Villalonga, que la família suportava i afalagava per l'esquer de l'herència» (1988, p. 130). Amb el temps, aquest libel s'havia de convertir en «una novel·la hàbil i enginyosa», encara que el baix nivell de competència lingüística li impedeix ser «un producte acabat, a l'altura de les pretensions compositives» (p. 130), i en una «novel·la que satiritza, de vegades amb crueltat, les petites polèmiques de les forces vives de Palma» (p. 120).

Una carta de 1969 de Villalonga a Jaume Pomar corroboraria la intenció satírica de l'obra («*La Gran Batuda* ve a ser la *Mort de Dama* d'avui, una sàtira contra la societat actual, així com *M. de D.* ho fou contra la dels anys vint» [Pomar 1984, p. 38]), una intenció que Llompart (1973, p. 231), Porcel (1987, p. 234), Simbor (1999, pp. 231, 232, 286) i Johnson (2002, p. 181) també han subratllat.[1]

En el millor dels casos, que Obdúlia Montcada prengui per model una tia dels germans Villalonga és una anècdota poc interessant. El primer que cal tenir en compte per fer una anàlisi seriosa de l'«anciana i autoritària dama» (Espriu 1954, p. 18) és que es tracta d'un personatge amb *prospecte*, que ens arriba amb unes instruccions de lectura molt concretes. A «Un retrat amb quatre dades genealògiques», el narrador estableix clarament el seu perfil *simbòlic*: «Aquella dama representava l'ànima d'una societat que desapareix» i, en conseqüència, li pertoca una «simbòlica mort» (p. 22). Al capítol següent, «En què es parla del 'Cometa' i es fa l'història del vestit lilà», remarca que els seus vestits «[s]ón vestits històrics. Representen tot el segle XIX» (p. 29). A «Preparatius per un viatge», parla de casa seva com d'una «casa [...] arcaica, plena de records», per on «havia desfilat tota la societat de Palma», i, en definitiva, com d'«un r[a]có de l'història de Mallorca que anava a desaparèixer» (p. 38) juntament amb la seva mestressa. A «Bàbia», reflexiona sobre l'«onada de *present* [que] envaeix el món» (p. 103) i recalca que «D.ª Obdúlia es mor emportant-se les darreres violències inquisitorials» (p. 104). La modernitat, personificada per les noies nord-americanes amb

1. Si acceptem l'opinió de Linda Hutcheon que «[la sàtira] té un caràcter moral i social, i la voluntat de millorar les coses» (1985, p. 16), haurem de descartar que *Mort de dama* sigui una sàtira, ja que com a mínim hi falta la voluntat de millorar les coses.

diners, «banals com un infant de vuit anys» (p. 104), està usurpant el lloc d'aquestes «violències». A «Guanya el dimoni», informa que «[a]lgun periòdic [...] al·ludia donya Obdúlia com a darrera Montcada» (pp. 171-172), i, en comentar el seu funeral, declara que, encara que la premsa de Madrid no se n'ha fet ressò i que «ningú no li digué sàvia ni llatinista, perquè no era un cacic», com el marquès de Collera, «existia en el cor dels mallorquins una realitat molt més forta: [l'e]vidència que en D.ª Obdúlia acabava de morir tot un món...» (p. 177). Malgrat la seva falta d'intel·ligència, el seu energumenisme i el seu origen plebeu per part de mare,

> [l]a seva casa fou la darrera de l'illa on encara es rebia i es conversava. Morta la senyora, ja no quedaria més remei que anar a la novena o tirar-ho tot a rodar i pendre te i *cock-tails* amb les angleses i les nordamericanes de costums llicencioses. (p. 177)

José Carlos Llop té raó quan apunta que *Mort de dama* és «[la] primera ficción literaria de la decadencia» que devem a Villalonga (1986, p. 21). Dona Obdúlia és un personatge terminal que, amb Aina Cohen i el marquès de Collera, representa el final d'una època: la del segle XIX o, més concretament, de les darreries del segle XIX, tal com s'especifica a la novel·la. Al meu entendre, però, la insistència dels germans Villalonga a identificar Dona Obdúlia amb Rosa Ribera i l'actitud aquiescent de la crítica han obscurit dos elements que intervenen d'una manera decisiva en la construcció d'aquest «personatge central» de *Mort de dama* i el seu «simbolisme esvalotat» (p. 183): *La deshumanización del arte*, de José Ortega y Gasset, d'una banda, i, de l'altra, el *Glosari*, d'Eugeni d'Ors.

Obdúlia Montcada i *La deshumanización del arte*

Una de les seccions de *La deshumanización del arte*, «Unas gotas de fenomenología», comença així:

> Un hombre ilustre agoniza. Su mujer está junto al lecho. Un médico cuenta las pulsaciones del moribundo. En el fondo de

> la habitación hay otras dos personas: un periodista, que asiste a la escena obitual por razón de su oficio, y un pintor que el azar ha conducido allí. Esposa, médico, periodista y pintor presencian un mismo hecho. Sin embargo, este único y mismo hecho —la agonía de un hombre— se ofrece a cada uno de ellos con aspecto distinto. (1957b, pp. 360-361)

Ortega subratlla la diferència d'aquests aspectes, el caràcter multiforme de la realitat (aquí, l'home moribund), que sempre depèn del punt de vista des d'on és observada: el de l'esposa que pateix, el del pintor impassible, etc. Segons el filòsof, «una misma realidad se quiebra en muchas realidades divergentes cuando es mirada desde puntos de vista distintos» (1957b, p. 361), i cap d'aquestes realitats és més vertadera que les altres. Per configurar clarament els punts de vista dels testimonis de l'agonia d'aquest home il·lustre, Ortega proposa mesurar «la distancia espiritual a que cada uno se halla del hecho común, de la agonía», que en el cas de l'esposa és «mínima» (1957b, p. 361), tan mínima que no es pot dir que sigui un testimoni de l'escena sinó que en forma part, la viu des de dins. En canvi, entre el metge i l'escena ja hi ha una distància més gran, perquè la seva implicació emotiva és menor. «Para él se trata de un caso profesional» (1957b, p. 361), i això l'eximeix de participar-hi amb la intensitat emotiva de l'esposa del malalt. Ara bé, «su oficio le obliga a interesarse seriamente en lo que ocurre; lleva en ello alguna responsabilidad y acaso peligra su prestigio», de manera que també participa en l'escena, «la escena se apodera de él, le arrastra a su dramático interior prendiéndole, ya que no por su corazón, por el fragmento profesional de su persona» (1957b, p. 361). La posició del periodista és tan allunyada de la tràgica realitat de l'home moribund que de fet implica la pèrdua de «todo contacto sentimental» (1957b, p. 362). Com el metge, el periodista assisteix a l'escena per raons professionals, però hi ha una diferència important: a causa de la seva professió, el metge es veu obligat a intervenir en l'escena, mentre que el periodista, pel fet de ser-ho, no pot intervenir, ha d'observar i prou. «Para él [...] es el hecho pura escena, mero espectáculo que luego ha de relatar en las columnas del periódico» (1957b, p. 362). El periodista no participa sentimentalment en l'escena, es limita a contemplar-la, si bé és veritat que la contempla amb «la preocupación» (1957b, p. 362) pròpia de qui després haurà de relatar-la als seus lectors, a qui voldria commoure. Finalment, el punt de vista del pintor implica el grau màxim de distància respecte de l'escena en qüestió. Al pintor li és indiferent l'agonia de l'home il·lustre. Ell només observa l'escena o, millor dit, allò que li interessa de l'escena: «Sólo atiende a lo exterior, a las luces y las sombras, a los valores cromáticos. En el pintor hemos llegado al máximum de distancia y al mínimum de intervención sentimental» (1957b, p. 362).

Un cop configurats els punts de vista de l'esposa del moribund, el metge, el periodista i el pintor, Ortega formula «una advertencia esencial para la estética, sin la cual no es fácil penetrar en la fisiología del arte» (1957b, p. 362): la realitat viscuda és l'aspecte de la realitat de què es deriven els altres, el que «en todos los demás va supuesto» (1957b, p. 363). De fet,

> [s]i no hubiese alguien que viviese en pura entrega y frenesí la agonía de un hombre, el médico no se preocuparía por ella, los lectores no entenderían los gestos patéticos del periodista que describe el suceso y el cuadro en que el pintor representa un hombre en el lecho rodeado de figuras dolientes nos sería ininteligible. (1957b, p. 363)

Per tant, la realitat viscuda ocupa una posició preferent entre les diverses realitats, i això li confereix la condició de «realidad por excelencia», que Ortega també anomena «realidad humana»:

> El pintor que presencia impasible la escena de agonía parece «inhumano». Digamos, pues, que el punto de vista humano es aquel en que «vivimos» las situaciones, las personas, las cosas. Y, viceversa, son humanas todas las realidades —mujer, paisaje, peripecia— cuando ofrecen el aspecto bajo el cual suelen ser vividas. (1957b, p. 363)

L'agonia de Dona Obdúlia es pot llegir com un intent de traslladar a la ficció l'escena amb què Ortega il·lustra l'esmicolament de la realitat quan és observada des de diversos punts de vista. És clar que aquesta agonia, que a la novel·la de Villalonga és la *realitat* (ficcional) que s'ofereix per ser observada des de distàncies sentimentals diferents, no és una «realidad humana», ja que els elements humans, patètics, n'han estat eliminats, i per tant no pot ser observada des del punt de vista de cap persona amb una forta implicació emotiva. El procés de deshumanització a què Villalonga sotmet la novel·la converteix Dona Obdúlia en un ninot impermeable a la tragèdia, i la implicació emotiva dels personatges que assisteixen a la seva agonia oscil·la entre un grau màxim relatiu que coincidiria amb el desig d'heretar la seva fortuna i el grau zero d'una indiferència absoluta.

A banda de la baronessa, Remei Huguet i la Sra. de Gradolí «amb les seves quatre filles velles, murmuradores, lletges... i santes» (p. 33), que maniobren per ser les hereves de la dama moribunda, a l'escena de l'agonia hi figuren dos metges: el que la baronessa fa cridar, malgrat l'oposició de Remei Huguet, quan sembla que la seva tia és a punt de morir i que, després de visitar-la, se'n va «dient frases vagues, com els oracles antics» (p. 33), i «el metje jove», un individu «molt elegant i perfumat» que, amb «una gravetat apropiada» a les faccions, efectua una visita del tot superficial: «Va fer semblant de polsar la malalta i l'auscultà de qualsevol manera», per concloure: «Opín com el meu company», i marxar en un Renault, «després d'escriure qualsevol cosa a una fulla del rece[p]tari» (p. 36).

També hi figura Miss Carlota Nell, «il·lustre escriptora que viatjava pel Mediterrani preparant un llibre» (p. 64). Encara que Miss Nell només coneix Dona Obdúlia de vista, en assabentar-se de la imminència de la seva mort, «escomesa d'una estimació súbita, venia a... documentar-se» (p. 64). Acollida amb amabilitat per la malalta, que s'embranca en una descripció fantasiosa i cada cop més exaltada del seu propi enterrament, Miss Nell «no [perd] una paraula» (p. 65). Un cop ha descrit el seu enterrament, Dona Obdúlia parla dels seus avantpassats, despotrica contra les modes actuals i finalment es trastorna davant l'escriptora anglesa, que rumia: «*Oh, old Spain... Goya! Passion and mysticism... Spanish duennas... Lady's death...*», i «[e]n la cambra en penombres, mentre la senyora [desferma] la seva imaginació goyesca [...], dissimuladament, [pren] notes» (p. 65). Tenint en compte qui és Obdúlia Montcada, el narrador considera «ben discupable que Miss Carlota, baldament això pugui semblar cruel, hagués anat a veure[-la] morir [...] per documentar-se», un episodi que el convida a mostrar la seva misogínia: «Per altr[a] part, tothom sap que a una sufragista que té entre les mans un llapis i un block de notes no hi ha qui l'atur» (p. 103).

Tot i que els metges que visiten Dona Obdúlia no senten cap interès professional per la seva agonia (¿com, si es tracta d'una agonia deshumanitzada?), traslladen a la novel·la la figura del metge de l'escena d'Ortega. I Miss Carlota Nell no és un pintor, però la seva professió d'escriptora i el seu afany de documentar-se fan pensar en la mirada del pintor de l'escena orteguiana, indiferent al dolor provocat per l'agonia de l'home il·lustre, atent només «a las luces y las sombras», que retrobem en les «penombres» de la cambra de Dona Obdúlia.

Es podria objectar que a l'agonia de la dama energumènica li falta el testimoni del periodista, encara que només sigui per divulgar una informació tan poc ajustada a la veritat dels fets com la que publica *El Adalid* sobre la mort del marquès de Collera (p. 127). Però la versió de *Mort de dama* que es va publicar en castellà a *Papeles de Son Armadans* resol aquesta *omissió* amb un capítol («Así se escribe la historia») que transcorre precisament a la redacció d'*El Adalid*, on el director del diari espera la mort de Dona Obdúlia, de qui als vint anys havia estat «un poco enamorado» (1957, p. 104), rellegint per enèsima vegada l'obituari que ja li ha preparat i evocant la seva figura esplèndida en una festa de Capitania de fa gairebé quaranta anys, després de la qual ell va escriure uns versos apassionats que sempre porta a la cartera.

La transformació de l'home il·lustre d'Ortega en una vella dama que *simbolitza* una època i un món a punt de desaparèixer s'explica, en part, perquè a *La deshumanización del arte* Ortega apunta que «[l]a historia se mueve según grandes ritmos biológicos», uns ritmes que canvien a causa de «factores muy elementales», de «fuerzas primarias de carácter cósmico», i estan marcats per les diferències més importants (edat i sexe) entre els éssers vius:

> fácil es notar que la historia se columpia rítmicamente del uno al otro polo, dejando que en unas épocas predominen las calidades masculinas y en otras las femeninas, o bien exaltando unas veces la índole juvenil y otras la de madurez o ancianidad. (1957b, p. 384)

La història d'Europa és a punt de cloure una època femenina i vella, i està al llindar d'una època jove i viril:

> El cariz que en todos los órdenes va tomando la existencia europea anuncia un tiempo de varonía y juventud. La mujer y el viejo tienen que ceder durante un período el gobierno de la vida a los muchachos, y no es extraño que el mundo parezca ir perdiendo formalidad. (1957b, pp. 384-385)

A *Mort de dama* hi ha una versió embrionària i força curiosa d'aquests «muchachos» i d'aquesta pèrdua aparent de formalitat: «un noi desocupat», fumador d'Abdulles, que compareix a casa de Dona Obdúlia «amb notícies fresques» (p. 90) sobre les circumstàncies de la mort del marquès de Collera. Aquest noi, «que es [dedica] a usufructuar els *cock-tails* d'una amiga [yankee]» (p. 91) i a casa de la dama moribunda s'entreté revelant «secrets d'alcova a dos senyors d'edat» (p. 92), és el més crític amb «la corrupció de les costums, suposant sincerament que una senyora que li demostràs algun afecte no podia ésser sinó una perduda» (p. 91). Pocs anys després de la primera edició de *Mort de dama*, reapareixerà a *Mme. Dillon* com a Xim Puigdesaura, nebot de la baronessa de Bearn i *gigolo* de la sofisticada Alícia Dillon.

A més d'elements manllevats a les reflexions sobre estètica i a la concepció de la història d'Ortega, a l'ADN d'Obdúlia Montcada n'hi ha d'altres que ens permeten interpretar-la com una ficcionalització de determinats aspectes del pensament que Eugeni d'Ors exposa al llarg del *Glosari* i que cristal·litzen a *La Ben Plantada* (1912). Per fer-ho curt, Dona Obdúlia no és només un personatge que *simbolitza* el segle xix, sinó un personatge amb una sèrie de característiques negatives que coincideixen amb les que d'Ors atribueix al romanticisme i a la fi del segle xix. Si hem de fer servir la terminologia del *prospecte*, Dona Obdúlia és un *símbol*, sí, però no pas de l'aristocràcia o del segle xix mallorquins, sinó del romanticisme i de la fi del segle xix reprovats per d'Ors.

Alan Yates sospita que *Els sots feréstecs* (1901) de Raimon Casellas va suggerir a d'Ors «la possibilitat de fer una novel·la original» (1975, p. 122), reunint una sèrie de gloses que en principi havien estat destinades a *La Veu de Catalunya*, tot i que la forma de novel·lar de Casellas i d'Ors és prou diferent. A *La Ben Plantada*, d'Ors «[a]bandona les convencions de la 'ficció de la realitat'» i utilitza «una forma al·legòrica» (Yates 1975, p. 122) que al mateix temps és una forma d'antinovel·la, una antinovel·la condemnada a no tenir continuïtat en la narrativa catalana del segle xx:

> El Xènius novel·lista no té seguidors ni inicia cap escola. *La Ben Plantada* i la seva successió basten per a demostrar la poca viabilitat de l'«estètica arbitrària» aplicada a la novel·la. Pel fet d'establir un exemple que ningú no podia emular, Xènius és un antinovel·lista en el sentit més negatiu, o sia, una influència que nega la continuïtat i la progressió del gènere. (Yates 1975, p. 123)

El diagnòstic de Yates sobre l'escassa viabilitat del model novel·lístic de *La Ben Plantada*, que condemnaria Xènius a no tenir seguidors, és, en general, correcte. Hi ha, però, una excepció, i aquesta excepció és *Mort de dama*. Com *La Ben Plan-*

tada, la novel·la de Villalonga és un conjunt de textos més o menys autònoms travessats per l'eix d'un personatge al·legòric. És més, *Mort de dama* conté la seva pròpia versió de Teresa, la Ben Plantada, en la figura arruïnada i crepuscular de la baronessa. Per a Manuela Alcover, aquesta figura és un «arquetipus» (1996, p. 104) camaleònic que surt a *Mort de dama* i a *Les temptacions* com a baronessa de Bearn, mentre que a *La novel·la de Palmira* i a *Bearn* seria simplement Maria Antònia. Que aquests personatges siguin el mateix em sembla molt discutible, però ara només m'interessa destacar que Alcover veu en la baronessa el «símbol d'una aristocràcia a punt d'extinció» (1996, p. 105), un «arquetipus [que] pareix destinat a representar a Mallorca el paper que representa a Catalunya la Ben Plantada», encara que potser «l'ideal classicista villalonguià no coincideix exactament amb l'ideal de Xènius» (1996, p. 106).

Tanmateix, el personatge que dins l'estructura de *Mort de dama* ocupa el lloc de la Ben Plantada i alhora s'hi oposa amb la seva càrrega al·legòrica és Obdúlia Montcada. Com he dit abans, Dona Obdúlia encarna els valors negatius que el *Glosari* atribueix al romanticisme i, d'una manera específica, a la fi del segle XIX. És clar que el concepte «romanticisme» tal com apareix al *Glosari* és una mena d'abocador on va a parar tot el que no convé a la política cultural orsiana. Jordi Castellanos ha ressaltat que l'Ors ideòleg del Noucentisme pretén «convertir en política de poder un programa cultural fortament ideologitzat», d'aquí la importància de seleccionar una sèrie de propostes de modernització:

> El Noucentisme [...] engega un seguit de polèmiques que arraconen tot allò que no l'interessa. El sac de la brossa s'omple d'un aiguabarreig que comprèn el ruralisme, el localisme, el realisme, la bohèmia, la irresponsabilitat, sota l'etiqueta de Romanticisme o de Modernisme, és a dir, de tot allò que cal rebutjar (no cal dir que amb la prèvia tergiversació d'allò que aquests moviments havien estat), mentre que els valors de classicisme, civilitat, cosmopolitisme i arbitrarisme són entronitzats com a propis. (1987, p. 26)

Doncs bé, és el contingut heterogeni d'aquest «sac de la brossa» el que aclareix el «simbolisme esvalotat» de Dona Obdúlia.

En una glosa de 1913, «Un Amiel vigatà», d'Ors conceptua així «la fi del segle XIX»: «Temps de descomposició, aquell. Una tèrbola senilitat s'ajuntava a la febre de les germinacions noves, que encara no es sabia quina fruita havien de dur» (1950, p. 3). Es tracta de «l'hora de la degeneració espiritual» (1950, p. 10), d'una època de «malaltia», d'«esterilitat», de «ruptura espiritual» horrorosa (1950, p. 15), en què es produeix la mort d'un món sense que se sàpiga exactament què el substituirà: «Un món moria, i només comptadíssims esperits pogueren endevinar quina cosa anava a reemplaçar-lo» (1950, p. 5). El món de la fi del segle XIX és un món malalt, però després d'aquesta malaltia vindrà la salut del Nou-cents: «tota la humanitat s'avergonyia ja de la finisecular malura i aspirava a entrar en una era de fresca moralitat, de reconquerida salut en els cors i les ments...» (1950, p. 16). Al *Glosari*, el romanticisme i, més concretament, la fi del segle XIX sempre són una patologia. El 1908, per exemple, d'Ors qualifica José de Espronceda, entre altres coses, d'«ignorant» i «populatxer», el defineix com «el tipus selecte d'una malaltia endèmica en la vida intel·lectual de Madrid» i, en aquest sentit, li atorga «un gran valor representatiu» (1950, p. 711). L'«esproncedisme» és una malaltia (1950, p. 734), la malaltia romàntica; el «rousseaunisme», un «protoplasma del romanticisme» i, per tant, «una disgraciosa malaltia» (1950, p. 744). El 1911, el glosador torna a proclamar la ignorància d'Espronceda i la fa extensiva a d'altres escriptors romàntics: «La ignorància pogué estar un dia a la moda. Molts escriptors romàntics en feren i tot, especialment en terres d'Espanya, una afectació que avui ens sembla singular» (1990, p. 130). Ignorància i romanticisme són, doncs, termes intercanviables: «Tot romanticisme és Rousseau i Rousseau és la ignorància» (1990, p. 142).

D'Ors està convençut que el romanticisme és «la pitjor de les febleses mentals que ens vénen d'anteriors generacions» (1950, p. 1337), l'associa amb la «inconsciència» (1950, p.

1472) i, a través de l'Impressionisme, amb la «improvisació», la «faràndola» i l'«instint» (1990, p. 172), que és sinònim de violència («[s]'és violent per instint» [1990, p. 191]), i parla de «les tenebres romàntiques» (1950, p. 1503). El romanticisme és fins i tot més que malaltia, ignorància, feblesa mental, inconsciència, improvisació o instint violent: «És Ahriman, el Diable, Satan», i a Satan se'l coneix «pels seus fruits», entre els quals hi ha «la romàntica superstició del que és espontani» (1950, p. 913). El romanticisme és l'«enemic» del glosador («aquest enemic nostre» escriu el 1918 sobre Delacroix, a qui tanmateix considera «un magicià superior» [1987, p. 59]), com també ho devia ser de Prat de la Riba:

> [Prat] era un fermíssim repugnador de tot element tèrbol, profètic, semític. Ell era tot occidental i tot modern. [...]. Ell era el qui constantment oposava l'Art —competència, tecnicisme— a la Profecia —energumenisme professional. (1991, p. 199)

El romanticisme s'ha de relacionar amb la «dona símbol» (1950, p. 1179) de dues gloses de 1909: «La dona de l'òmnibus» i «L'enemiga». A la primera d'aquestes gloses, d'Ors s'imagina la dona en qüestió dreta en una plataforma d'òmnibus, amb «una agulla de falsa pedreria resplendent al pentinat gegantí, la còrpora copiosa, recolzada a la barana del cotxe, una dona grassa, frescassa, fardassa» (1950, p. 1179), passant conversa amb els treballadors de la companyia, i afegeix:

> És ella l'«eixerida», la «que no té llana al clatell», «la que no es posa cap pedra al fetge»...— És ella la «democràtica», la que no està pel «senyoriu», la del «parlar gras», la «molt de la broma», la qui les «canta clares»... (1950, p. 1180)

És, a més, una dona «avara» i «hostil a la cultura» (1950, p. 1180). Per tot plegat, «[c]al acabar amb ella. Cal assassinar-la» (1950, p. 1180). A «L'enemiga», el glosador acusa aquesta dona ignorant, obesa, que diu les coses clares, de ser «dogmàtica» (1950, p. 1181) i manté que per culpa seva «triomfa arreu cada dia la més grollera i enlluernant ornamentació»

(1950, p. 1182). Com a la glosa anterior, decreta: «Cal acabar amb ella. Cal matar-la. *'Delenda est'*» (1950, p. 1182).

Estèticament, el romanticisme es caracteritza per la desmesura i el mal gust, o per la falta de gust. En una de les set «Notes sobre la novíssima literatura alemanya» de 1910, d'Ors presenta Hugo von Hofmannsthal com un admirador de Gabriele d'Annunzio, amb qui compartiria un nombre indeterminat de qualitats i defectes. Entre els darrers, «[l]a falta de sentit de la mesura, de gust, de 'discreció', estètica és el principal» (1950, p. 1505). El mateix any, d'Ors havia elogiat la «gràcia», la «higiene» i la «picardia» de la moda femenina contemporània tot desacreditant les modes de finals del segle XIX:

> Res tan instructiu, res tan encisador, com refer la història de l'abillament femení, a través d'una col·lecció de gravats de modes... No voldríem per res del món, passar per mals fills: però havem de confessar-ho: la generació que ha semblat més desprovista de gust en semblant assumpte és la dels nostres pares. Les modes de 1880 a 1890 constituïren una pura abominació. Tal decadència d'instint artístic representen envers les dominants vint-i-cinc anys abans, que un hom no s'ho arriba a explicar. Podrà discutir-se sobre l'estètica de la crinolina. Mes, com és superior encara a l'altre, al que vingué després, a l'horrorós enginy, que els pobles llatins anomenaren graciosament: «*polisson*», els anglo-saxons, pudorosament, «*unspeakable*», i els germànics, planerament, «*Kul*»!... I els capells! I les mànegues!... [...].
>
> Ai, més d'un crim de lesa-beutat ha de pesar sobre la consciència d'aquesta generació! Ella fou la que baratà els mobles Imperi i Restauració, que li venien dels avis, a canvi de mobles horribles de basar, figurant-se que en el canvi guanyava; ella fou la que convertí els vells xals harmoniosos —que ara ens farien tanta falta!— en tapets de vetllador, quan no en drapots de fer dissabte; ella fou la que exilià els deliciosos cobrellits de tela estampada, les decoracions de xinesos o de paons, substituint-los per cotons endomassats i per sedes de la més espantosa vulgaritat; ella fou la que...
>
> En fi, perdonem-la, perdonem-la, perquè Déu ens perdoni. (1950, pp. 1403-1404)

Poc després, el 1911, llançava sobre el cafè el seu menyspreu pel mal gust del romanticisme:

El cafè és romàntic, és democràtic, és oratori i banal. Representa un poc —com els cromos, com els mitjons de color, com els armaris de lluna, com els drames de tesis— aquella falsa popularització de les elegàncies que constituí una de les pitjors malalties del sigle XIX. (1990, p. 153)

La feina de la gent del Nou-cents haurà de ser la de «cloure la Era romàntica», esborrant de les consciències «el dogma fonamental del Romanticisme: la santetat de la passió —de lo espontani...» (1996, pp. 437-438); la de neutralitzar «la llegenda de la superioritat de lo natural, de lo irregular, de lo espontani, que fins avui bravejava, indòmita, en el renaixement català» (1996, p. 705); la de «restaurar les coses i institucions en sa mida i normalitat primeres, eliminant falses elegàncies obra d'anteriors megalomanies» (1990, p. 157). Per això el 1912 d'Ors declara: «Guerra a l'enfarfec! Guerra a les falses elegàncies, en el llenguatge, en l'ortografia, en la tipografia, en la decoració, en totes les arts i les ciències, en tot el viure!» (1990, p. 184).

El seu programa de reformes rebutja el romanticisme i defensa el retorn a la tradició grega («[e]ns purguem de romanticisme. Ens arrapem, amb més força que mai, a la tradició grega» [1950, p. 1279]), l'abandó de l'estètica de finals del segle XIX i el retorn «al classicisme, als motllos eternals de la serenitat i l'harmonia» (1990, p. 200).

Aquest breu repàs del tractament que els conceptes de «romanticisme» i «fi del segle XIX» reben al *Glosari* hauria de ser suficient per interpretar des d'una perspectiva avantatjosa el personatge de Dona Obdúlia, l'esperit de la qual és un «[p]roducte del fi de segle, indisciplinat i confús». Dona Obdúlia és una dona vella, malalta, ignorant, avara, populatxera, instintiva, vital, mancada de gust (els vestits, les reformes de la casa, els «miralls supernumeraris», les pedres falses a les joies antigues), energumènica, obesa, a voltes violenta, que parla clar i fins i tot profetitza: una dona, en definitiva, desmesurada. No és pas estrany, doncs, que es pugui llegir com l'antítesi de Teresa, la Ben Plantada.[2]

2. I com un personatge que s'assembla a la reina Isabel II de *La corte de los milagros*, de Valle-Inclán. Ja hem vist que Dona Obdúlia és «filla d'una

Teresa és jove, una «minyona bonica» (1976, p. 26) i una «excelsa minyona» (1976, p. 43), una «acomplida criatura» (1976, p. 27) que a l'estiu de 1911 «vesteix a la manera flonja» (1976, p. 34), seguint la moda «per les dones més intel·ligents», no la moda «per les que no ho són tant», que «és l'ordre del vestir estret, minvat, travat i cenyit a ultrança» (1976, p. 33), és a dir, el que amb prou feines pot empresonar les adipositats d'una Obdúlia que ja no és jove però sí libidinosa i que es quedarà sense descendència, a l'inrevés de Teresa, en qui el desinterès pels homes és compatible amb la il·lusió per la maternitat: «A mi per ara, dels homes, tant me fa. Però m'agradaria tant, tenir criatures que fossin meves!» (1976, p. 37). Perquè Teresa és una de «les nostres Dones», i «les dones són les palpitants canals per on arriba al futur la sang ancestral i la seva gràcia infinita» (1976, p. 81). Teresa és Ben Plantada i, «perquè [és] ben plantada, ben fruitada [serà]!» (1976, p. 112). A Dona Obdúlia, en canvi, la coneixem malalta, moribunda i sense possibilitat de ser «fruitada». Teresa és una dona culta, «tan obedient a l'oculta tradició, antiga i noble, de la seva Raça, [que] tindria una cultura, encara que no sabés de llegir» (1976, p. 130). A la cultura de Teresa, Dona Obdúlia hi oposa la seva ignorància escandalosa. Contràriament al que es podria esperar, la bellesa de Teresa «no s'ha tornat tumult al seu entorn, [sinó] serenitat i simpatia» (1976, p. 51), «ordre i acord» (1976, p. 53), a causa de «la seva natural mesura i bon seny» (1976, p. 51). «Perquè ella és equilibri, mesura i moderació, i al seu entorn només pot donar-s'hi concòrdia i benigna avinença» (1976, p. 67). A l'equilibri, la mesura i la moderació de Teresa corresponen la desmesura i l'energume-

dona del poble contemporània d'Isabel II». El seu aspecte físic és el d'«una senyora isabelina», i el seu «esperit» continua essent «isabelí» fins i tot després d'haver perdut uns «encisos adiposos» que recorden les «crasas mantecas» de la reina de Valle (1999, p. 67). Per reblar el clau, «el vell saló» de casa seva és «isabelí» (p. 28), com el «criteri» que l'impulsa a abaratir les joies antigues amb pedres falses. L'origen plebeu i el tarannà populatxer de Dona Obdúlia també recorden una reina que és «chungona y jamona, regia y plebeya», a més de «populachera» (1999, p. 74).

nisme de Dona Obdúlia. L'avinença, la concòrdia i l'ordre que sap crear la «Doctora d'harmonia» (1976, p. 139) no tenen res a veure amb la pugna sorda, poc edificant, provocada pel testament de la dama mallorquina, ni amb les seves «violències inquisitorials».

Teresa és un «arquetipus» (1976, p. 37), un «viu símbol» (1976, p. 60) que, a més, disposa de símbol propi: «El símbol de la Ben Plantada és un arbre» (1976, p. 111), ja que l'arbre, amb les arrels i les branques, evoca la tradició i al mateix temps l'avenir. Segons el *prospecte* de *Mort de dama*, Dona Obdúlia també ho és, un símbol. Però és un símbol sense avenir. No és pas casual que al començament de la novel·la el narrador faci notar que «[a] Pollença —i això és simbòlic— un llamp acaba de destruir el romàntic pi que va i[m]mortalitzar un poet[a] gloriós» (p. 14), en una clara al·lusió a «El pi de Formentor», de Miquel Costa i Llobera.

El narrador de *La Ben Plantada* reflexiona sobre la «semblança o dissemblança» entre Teresa i l'Adelaisa de Maragall:

> La Raça hi és, enèrgica en totes dues. Mes penso que Adelaisa era tacte i color, però la Ben Plantada ja és Mesura. Totes dues volen dir: instint. Però en Adelaisa l'instint sembla sobretot dirigir-se als fins de l'espècie; mentre que en [Teresa] el que funciona subtilment és l'instint de la Raça: és a dir, una cosa que ja significa intel·ligència, i —profunda, inconscientment— Cultura. [...]. Prenent les coses per altre cantó, l'Adelaisa és de la muntanya i la Teresa és de la marina. (1976, pp. 56-57)

Dona Obdúlia no és de la muntanya i, malgrat els antecedents pirates, tampoc no és de marina: és de ciutat, i el seu instint ja no es dirigeix als fins de l'espècie ni té gaire res a veure amb la Raça. Més que d'instint, en el cas de Dona Obdúlia s'ha de parlar d'instints, i d'instints que són, com el romanticisme, *xavacans*. Potser és per això que no protagonitza una ascensió al cel com la de Teresa, encara que el seu funeral és espectacular, malgrat haver mort «en pecat mortal», «com els rèprobes».

Per a d'Ors, el món malalt de la fi del segle XIX havia de ser substituït per la salut del Nou-cents. *La Ben Plantada* és una antinovel·la de 1911-1912, i d'Ors, a través de la seva protagonista, hi anuncia amb molt d'optimisme que «els temps s'acosten i mil signes n'anuncien la plenitud» (1976, p. 156). D'Ors «vol la certesa d'un futur brillant per a Catalunya» (Martín 1984, p. 32). Vint anys més tard, Villalonga utilitzarà la fórmula orsiana de l'antinovel·la, que posa en evidència la bancarrota del model realista del gènere, per proclamar, com d'Ors i més orsianament del que sembla a primera vista, la bancarrota del segle XIX. Però el futur de plenitud per al país que *La Ben Plantada* anunciava amb tant d'optimisme a *Mort de dama* cedeix el lloc a la vulgaritat de Violeta, hereva de Dona Obdúlia, a la banalitat de les noies nord-americanes riques de la Mallorca dels anys vint i trenta, o al noi que fuma Abdulles. És per això que, en Dona Obdúlia, l'animadversió orsiana a la fi del segle XIX queda atenuada per una nota de nostàlgia: la modernitat és inevitable, «[p]erò, abans que tot s'enruni, Dhey desitjaria fixar [...] algunes de les escenes exemplars en què s'ha desen[r]otllada la seva infància» (pp. 17-18). L'època que s'acaba és beneita, falsa, ignorant i vulgar, però la que comença no serà pas millor.

3. «Aina Cohen, c'est moi», o Aina Cohen és l'Altra?

La història d'Aina Cohen, un dels personatges que sol·liciten amb més insistència la mirada del narrador de *Mort de dama*, comença al saló d'Obdúlia Montcada perquè «[a]llà, trenta anys enrera [...] l'exquisita poetessa, llavors una nina, hi revelà la seva inspiració improvisant gloses el dia del sant de D.ª Obdúlia» (1931, p. 38). La seva relació amb la literatura comença fins i tot abans de fer-se pública al saló de Dona Obdúlia o a la botiga del seu pare, un argenter *xueta* de la Plateria que l'obliga «a improvitzar gloses adulatòries a les parroquianes riques» (p. 110). El narrador informa que «N'Aina Cohen era lletrada des del bressol» (p. 110) i comprimeix la seva infantesa en aquest fragment:

> Sempre se la podia veure al fons de la botigueta ombrívola, amb un llibre a la mà, llustrosa i pegallosa com una figura de Rembrand[t]. Els seus set germans la voltaven fent-li *jueus* i escopint-li a la cara. Ella es defensava a puntades de peu. Li deien, de mal nom, *s'escorpí*. Tenia la veu estrident i el geni agre. Els ulls un poc desviats, i quan s'enfadava, que era quasi sempre, mirava tort d'una manera horrorosa. Solia dur la cara plena de moc: havia nat per ésser geni i les contingències materials no l'importaven. «Dóna una besadeta a aquestes senyores»[,] li deia son pare. I la nina, feréstega i fosca, els fregava de mala gana el moc per les galtes. Únicament s'humanitzava quan la feien rimar. Els versos li vessaven com una secreció: Segurament si no se'ls hagués tret haurien acabat per envenenar-la. (pp. 110-111)

Les primeres *secrecions* poètiques d'Aina Cohen es produeixen en castellà. Anys més tard, quan ja formi part del grup de la revista *Bé Hem Dinat*, «[aprendrà] a fer sonets als ametllers en flor» (p. 111), i a fer-los en català. La seva obra inclou una col·lecció de sonets als ametllers en flor, «de marcada tendència italianitzant, que revel·la l'exquisidesa d'un temperament d'excepció» (p. 184); una col·lecció d'elegies a les oliveres mil·lenàries «que feien plorar» (p. 82); «La camperola», considerat el seu poema cabdal; *Flors de pagesia*, un volum de gloses «que eren una desventura pública» amb què «marejava tothom» (p. 43), i «Anàlisi de pagesa», el seu últim èxit literari, al qual em referiré més endavant. A l'«Apèndix» de la novel·la, que recull «La camperola», un poema titulat «Il·lusió» i tres mostres de la col·lecció de sonets als ametllers en flor, apareix per primera vegada «Lo poema humil d'Aina Maria, la bella masovera», d'una gran «força lírica» i una «vasta emotivitat», on «culmina el geni de la poetessa» (p. 184). Aquest corpus poètic s'arrodoneix amb una oda heroica, «A la postrer Montcada», inspirada per la malaltia i mort imminent de Dona Obdúlia, i amb un epitafi de quatre versos, una «esmirriada composició» (p. 107) a la memòria del marquès de Collera, que mor inesperadament en un prostíbul.

Sempre vista a través dels ulls d'un narrador masculí que la menysprea i sovint la tracta amb una ironia despietada, Aina Cohen té quatre característiques: és una dona, és jueva, és una escriptora que escriu en català (mallorquí) i és lesbiana, o almenys el lesbianisme figura en el mapa de la seva sexualitat. Físicament i moralment és presentada com una dona poc atractiva. Ja hem vist que de petita li deien «s'escorpí» i que el narrador li atribueix una veu «estrident», un geni «agre», uns ulls «un poc desviats» i una mirada «horrorosa». A més, aquesta nena, «feréstega i fosca», solia anar plena de mocs. De gran no la caracteritza pas d'una manera més positiva. Al capítol «Es murmura en l'avant cambra», per exemple, constata que és «magra i negra com una mula jove» (p. 44) i recalca que el seu afany per mantenir «la situació social» adquirida amb el conreu de la llengua vernacla «la [fa] estar magr[a] com un dragó, de tant de desitjar-la» (p. 46). Més tard, a «Les tristeses de N'Aina Cohen», trobem aquest retrat:

> Tenia el perfil aquilí, els ulls un poc junts, la qual cosa li donava una expres[s]ió d'òliba, i la pell tirant a xacolata, com si el sol de Son Magraner l'hagués cuita. S'ignorava l'edat: tant podien esser trenta anys com cinquanta. [...]. Tenia els cabells com la tinta i per dissimular la llargària del nas se l'empolvorava de blanc i vermell, de manera que semblava postís. (p. 81)

Objecte d'una animalització sistemàtica (primer se l'associa amb un escorpí i després se la compara amb un dragó, una mula i una òliba), Aina Cohen es diu com es diu, té el cabell fosc i un nas tan llarg que li convé dissimular-lo, i és «avara» (p. 85) perquè respon a un dels estereotips de la dona jueva, i no pas precisament al de la jueva bella i sensual. La seva condició de membre d'«aquella casta odiada, considerada impura per la seva sang, com a l'Edat Mitja» (p. 60), implica que l'hem de situar en un gueto, el dels *xuetes* mallorquins, víctimes durant segles de l'antisemitisme de la societat illenca. Per a Aina Cohen, escriure és una forma de fer oblidar el seu origen jueu i satisfer l'afany de ser acceptada per l'aristocràcia i l'alta burgesia de Palma. Per això la seva obra és irrisòria, d'una banalitat absoluta: encara que no li falta talent, no pot escriure amb llibertat sobre cap tema interessant o conflictiu, ja que si ho fes els seus esforços d'integració fracassarien. Els prejudicis d'aristòcrates i burgesos (prejudicis de classe, antisemitisme, homofòbia), juntament amb la seva ambició social i la seva covardia, li ofeguen el talent: «Com tothom sentia i desitjava, sols que la major part dels temes li estaven vedats» (p. 82).

L'aprovació de l'aristocràcia i l'alta burgesia de Palma és imprescindible per a la identitat que Aina Cohen pretén construir-se. És clar que en el millor dels casos aquesta identitat és molt precària (la baronessa de Bearn la podria destruir pronunciant una sola frase: «Ha fet sa xuetada» [p. 85]) i, al capdavall, el sacrifici del talent literari que comporta és inútil perquè mai no aconseguirà d'integrar-se plenament en un sistema social molt poc disposat a passar per alt que es *xuetona*.

El diccionari Alcover/ Moll defineix *xueta* com a «[c]ristià mallorquí descendent de jueus conversos, relapses i posteriorment reconvertits», però també com a «[p]ersona astuta, embullosa, enganyadora», i com a «[d]ona bruta, deixadota» (Alcover/ Moll 1962, vol. 10, p. 968). Així doncs, els mocs de la petita Aina Cohen no són pas anecdòtics.

La tensió entre l'Aina Cohen «ximpleta» (p. 43) i l'Aina Cohen que «era molt menys ximple del que semblava» (p. 114), entre la consciència del propi talent i la falta d'audàcia o d'oportunitats per desplegar-lo, entre l'impuls cap a la llibertat intel·lectual i sexual, d'una banda, i, de l'altra, la submissió a un ambient on senyoregen la ignorància i tota mena de prejudicis, provoquen la infelicitat del personatge: «N'Aina Cohen era ben desgraciada, i es comparava sovint a un ocell enga[b]iat» (p. 84).

Literàriament, Aina Cohen se sent engabiada perquè el seu horitzó és el que li marca el grup de *Bé Hem Dinat*, una caricatura de *La Nostra Terra*, la revista dels escriptors de l'Escola Mallorquina. *Bé Hem Dinat* és un dels dos nuclis intel·lectuals de Palma. L'altre és l'Ateneo, que atrau els elements liberals, d'un progressisme moderat, partidaris de l'esperit científic però temorosos de la revolució. «L'Ateneo era castellanista, i un dels seus actes culturals consistia en murmurar del clan de *Bé Hem Dinat*» (p. 119). És lògic, doncs, que en aquest feu del castellanisme dominin «els elements forasters, professors i catedràtics», mentre que a *Bé Hem Dinat* s'arreceren «els capellans i els hebreus» (p. 123), que són regionalistes i tradicionalistes. El narrador reflexiona sobre la paradoxa que els descendents dels jueus conversos s'adhereixin al grup de *Bé Hem Dinat*, «on mai s'oblidaria que *no eren com els altres*» (pp. 123-124), quan són els homes de l'Ateneo els que s'oposen a la discriminació racial i els que defensen els *xuetes* «contra l'atràs dels prejuicis regionalistes» (p. 123), i l'explica com el resultat d'un mecanisme d'autodefensa dels mateixos *xuetes*, una resposta a segles de violència racial, mecanisme o resposta que li semblen propis d'una mentalitat servil, masoquista (pp. 84-85).

El regionalisme del grup de *Bé Hem Dinat* és un regionalisme innocu, tronat, que «es prepara amb recepta» (p. 45), amb ingredients com els ametllers en flor i les pageses típiques. Aquest regionalisme facilita a Aina Cohen una plataforma d'accés al barri antic de Palma, on viuen l'aristocràcia i l'alta burgesia, dues classes socials que mantenen una relació molt peculiar amb el talent:

> El barri antic respecta el talent, però el vol enfora. L'únic mitjà d'arribar fins a ell (i la poetessa Aina Cohen no es proposava en realitat altra cosa) és fer treballs tan discrets que els puguin llegir els serafins. (p. 44)

El tracte, doncs, és aquest: el grup de *Bé Hem Dinat* confereix a Aina Cohen la respectabilitat suficient per «arribar» al barri antic i a canvi li exigeix que renunciï a escriure amb llibertat, que es resigni a fer una literatura gens ambiciosa, esbravada, ridícula:

> El que amargava la vida a l'escriptora, com ocorre quasi sempre, no eren els enemics, que no l[a] llegien, sinó els devots i els protectors, que a canvi de dir-li que tenia talent, com li podien haver dit que tenia el nas llarg, es creien amb el dret de fer-la escriure al dictat. És ver que en compensació d'anul·larla, la proclamaven *exquisita* i li aplaudien totes les idioteses que li obligaven a dir, perquè amb això s'aplaudien ells mateixos. (p. 109)

Amb el temps, Aina Cohen s'adona que, encara que la premsa no li escatimi els elogis més exagerats, «els seus versos [són] retòrica de la més passada» (p. 82), una retòrica anacrònica i buida que fatiga els mateixos regionalistes, aquells que no li deixen desplegar el seu talent:

> El pitjor que tenia el seguir publicant era que els mateixos que l'havien anul·lada i que li prohibien abordar qualsevol tema, començaven a avorrir-se i a trobar que la poetessa *no deia res de nou*: fins a tal punt és injusta la naturalesa humana. (pp. 113-114)

Escrivint «al dictat», Aina Cohen es converteix en la veu lírica més conspícua d'una de les entitats que, com he dit abans, gestionen els afers intel·lectuals de Palma. Aquestes dues entitats, aparentment oposades, s'assemblen per la seva inanitat: totes dues organitzen «conferències retòriques» (p. 124) que no interessen a ningú i cursos de llengua sense estudiants, als quals només assisteixen els membres de la junta corresponent perquè no es pugui dir que no hi va ningú. «Llurs existències eren una vertadera mentida, i, el que és pitjor, una mentida desgraciada» (pp. 124-125).

L'Ateneo i *Bé Hem Dinat* remeten a les «dues Mallorques» que a Gabriel Alomar li resultaven «igualment adverses» al seu «temperament»:

> L'una és aqueixa Mallorca castellanitzant, oficialesca, enterament esclava d'ànima, i de la qual és impossible que surti la més feble espira o la més humil lluerna [...]. L'altra Mallorca és la minúscula, absurda i migradeta regionalitat que alguns voldrien erigir, separada de tot sentit de ciutadanització..., una Mallorca mallorquinitzant, nodrida per ella mateixa, tan petita d'ànima com de matèria, inspirada, a més, en una estretor de sectarisme idolàtric que repugna fondament l'amplitud d'ales del meu sentit espiritual. (citat a Ferrer 1970, p. 10)

L'existència espectral de l'Ateneo i *Bé Hem Dinat* també remet al diagnòstic sobre l'Espanya oficial de la Restauració que Ortega va emetre en una conferència de 1914, «Vieja y nueva política», on comparava aquesta Espanya amb «el inmenso esqueleto de un organismo evaporado, desvanecido» (1957c, p. 272) i descrivia la Restauració canovista com «un panorama de fantasmas» (1957, p. 280). Encara que *Bé Hem Dinat* sigui una revista *regionalista* del primer terç del segle XX, l'Aina Cohen escriptora és, com el marquès de Collera, un fantasma de l'Espanya del segle XIX, de l'Espanya de la Restauració canovista, és a dir, d'una Espanya que mor amb Obdúlia Montcada.

Pel que fa a la vida privada, l'horitzó de la *poetessa* és tan limitat com el de la seva producció literària. A diferència de les escriptores modernistes[1] anglosaxones expatriades a París entre 1900 i 1940, per a les quals «[e]scriure va ser un procés d'autodescobriment» que les va portar a descobrir «un jo *sexual*» (Benstock 1987, p. 91), Aina Cohen no experimenta cap procés d'autodescobriment i, per tant, no descobreix mai la seva identitat sexual. En el seu cas, la relació entre escriptura i sexualitat és una relació entre repressió literària i repressió sexual. Ambdues formes de repressió apareixen clarament juxtaposades al capítol «Fires i festes», en què el narrador al·ludeix als nervis «un poc alterats» de la *poetessa* a causa de la frustració de «veure's obligada a redolar [...] dins les cendres de la retòrica idíl·lica», i tot seguit afegeix:

> Per comble de dissorts (després d'haver desdenyat de jove els amors d'un missatge de carn i os, i d'haver intentat, ja madura, seduir un estudiant que no la correspongué) havia caigut definitivament dins l'homosexualitat. (p. 164)

Com la banalitat literària, la frustració sexual d'Aina Cohen és una conseqüència dels prejudicis del medi i de la seva pròpia covardia, que el narrador persisteix a considerar una característica racial.

La destrucció del talent i la impossibilitat de l'amor, heterosexual o lèsbic, determinen la seva follia, que es manifestarà a Valldemossa, durant la lectura pública del poema «Anàlisi de pagesa». En aquest poema, una Aina Cohen «influïda per tendències modernes» pretén realitzar una anàlisi del vestit típic de pagesa mallorquina on «[vibri], com a les faules de [La Fontaine], tot un simbolisme ètnic» (p. 166). «Anàlisi de pagesa» és, doncs, un intent fallit de modernitzar el seu repertori, intent que no va més enllà de la simple repetició, en llengua vernacla i amb tema diferent, del que «havien fet abans d'ella

1. Aquí i més endavant faig servir els termes «Modernisme» i «modernista» en el mateix sentit que tenen en anglès *Modernism* i *modernist*, com uns termes que designen una sèrie de moviments artístics i literaris de l'últim quart del segle XIX i la primera meitat del segle XX hostils a la tradició més immediata.

milers de cançonetistes en els cuplets dits de presentació» (p. 166). Inicialment Aina Cohen vol recitar aquest poema vestida de pagesa. Al final, però, el recitarà compartint escenari amb una model adolescent a qui «ella mateixa [ha] vestit de pagesa, per tenir el gust de despullar-la en vers» (p. 178). En aquest recital, molt elogiat per la premsa de Palma, «Aina Cohen [sembla] una posseïda», té «una expressió [...] satànica» i actua d'una manera «que [indica] que [ha] perdut el cap» (p. 179). El recital de Valldemossa confirma el vaticini del narrador que «el seu destí [d'Aina Cohen], tràgic com el d'un grec antic, era rebentar escrivint floretes i parlant del vestit de pagesa» (p. 165).

Tràgic o no, aquest destí és un dels aspectes de la caracterització d'Aina Cohen que es manté intacte a totes les versions de la novel·la. N'hi ha d'altres, però, que presenten retocs significatius. Ara només n'enregistraré un parell que es troben a la primera versió castellana (1935-36). En aquesta versió, traduïda pel mateix Villalonga o Emilia Bernal,[2] es detecten unes mínimes variants que accentuen l'antisemitisme evident en la construcció del personatge. Un fragment del capítol «Las tristezas de Aina Cohen», per exemple, incorpora una referència a la seva cursileria i una frase sobre la degeneració física dels *xuetes* de Palma: «Más inteligentes y cultos que el nivel medio de la isla *—si bien un poco degenerados físicamente—* era difícil captar las oscuras razones de un tal masoquismo» (1935-36, s.p., la cursiva és meva). Per altra part, al capítol «Equilibrios de Aina Cohen» hi ha una informació sobre els diners del pare de la *poetessa* i les propietats d'aquesta que evoca l'estereotip del jueu ric, posseïdor d'una riquesa més o menys oculta:

> Retirada en «Son Magraner» donde todo el día regañaba a sus criadas *(porque su padre el pequeño joyero de la Platería había muerto dejando varios millones de pesetas y al presente Aina Cohen tenía fincas y criadas)* hacía decir desde la revista [*Bé Hem Dinat*] que se pasaba la vida meditando y regando macetas. (1935-36, s.p. , la cursiva és meva)

2. Vegi's Pomar 1995, pp. 144-145 i 152.

A la primera versió castellana, la *caiguda* dins l'homosexualitat que s'esmenta a la primera edició es transforma en una caiguda dins la «anormalidad» (1935-36, s.p.), variant que reapareix a totes les edicions posteriors.

La primera edició de *Mort de dama* és de 1931. La primera versió castellana, de 1935-36. Cal tenir en compte aquestes dues dates perquè, encara que històricament a l'Estat espanyol l'antisemitisme és qüestió de capellans i elements clericals, «en el crítico periodo de 1931-1945 el antisemitismo fue asumido, en mayor o menor medida, por todas las fuerzas de la derecha antiliberal española», i l'antisemitisme d'aquest període «es ininteligible sin tener en cuenta el papel de la Alemania nazi» (Álvarez 2002, pp. 175 i 310).

Per dibuixar bé el context històric de la novel·la, també caldria recordar que el 1936 Villalonga es va fer falangista, i que durant la segona guerra mundial

> [l]os chuetas mallorquines [...] tuvieron que aguantar anónimos y panfletos amenazantes [...]. Uno de ellos les acusaba de ser hipócritas, tanto en su catolicismo como en su apoyo al régimen, y también usureros y estraperlistas, y terminaba: «La Falange sabrá expulsar a la ralea judía». (Álvarez 2002, p. 404)

La recepció crítica

El primer d'expressar públicament la seva opinió sobre Aina Cohen va ser el mateix Villalonga:

> Ayna Cohen representa la intelectualidad de provincias ahogada por el medio. Todos, absolutamente todos, somos aquí, más o menos, Ayna Cohen. Parodiando a Flaubert, el autor de *Mort de Dama* no tendría acaso inconveniente en confesar: «*Ayna Cohen soy yo*». (Rosselló 1993a, p. 43)

Miquel Villalonga ho va corroborar a la seva autobiografia, on afirma que *Mort de dama* és «una obra de clave» pel que fa al personatge de Dona Obdúlia, basat en una tia dels dos escriptors, i suggereix que Aina Cohen, «en quien la fantasía roma de muchos lectores dió en ver una conocida señora de la localidad», és, en canvi, «una síntesi de todos [els intel·lectuals de l'illa] (incluyendo acaso al autor)» (1983, p. 293). Aquesta «conocida señora de la localidad» seria la poeta Maria Antònia Salvà.

En publicar-se la primera edició de *Mort de dama*, a Màrius Verdaguer el va sorprendre que una novel·la així, «construída según las últimas normas de la novelística universal más depurada» (Rosselló 1993a, p. 45), s'hagués escrit a Palma, on la novel·la en català pràcticament no existia, i no a Barcelona. A Verdaguer li resultava inconcebible un Villalonga

> esencialmente mallorquín por temperamento, escribiendo su *Mort de Dama* de esa ciudad natal que [apenas] ha abandonado; entre esas piedras venerables, pacíficas, inmutables; en ese ambiente espeso donde perduran con una tenacidad rencorosa y obtusa los sentimientos que dividieron antaño las castas y los estamentos, que pusieron una valla de prevenciones, un abismo de incomprensión entre los judíos conversos (*chuetas*) y los nobles descendientes de piratas y mimados por Felipe V (*botifarras*). (Rosselló 1993a, pp. 45-46)

Verdaguer és l'autor de la primera ressenya de *Mort de dama* i un dels pocs crítics que no silencia la complicitat d'un Villalonga «esencialmente empapado de todos los prejuicios de casta» (Rosselló 1993a, p. 46) amb aquest ambient espès i les seves rancúnies. És en aquest sentit que s'han d'entendre els defectes que adverteix en la novel·la, sobre els quals es pronuncia amb una certa ambigüitat:

> Tal vez desprendido el novelista de ese ambiente que le lleva a desequilibrar su obra, la novela equilibrada y perfecta perdería su atractiva y vibrante virulencia y se desvanecería la mayor parte de su interés. (Rosselló 1993a, p. 47)

Miquel Ferrà, cappare de l'Escola Mallorquina, es va ofendre amb el creador d'«aquella estrafolària *Aina Cohen*» i va negar que el personatge tingués res a veure «amb les nostres poetesses» (Rosselló 1993a, p. 49). Villalonga li va respondre demanant «un poco de indulgencia para mi hija desgarbada» i subratllant el seu bovarysme: «[Aina Cohen] es una Bovary de la inteligencia que se agrió acaso por ser superior al medio que la ahogaba» (Rosselló 1993a, p. 51).

La Nostra Terra va reaccionar amb una ressenya d'Antoni Salvà Ripoll, que retreia a Villalonga la seva hostilitat a «tot quant considera localisme temorenc» i li desitjava que no caigués

> en el [defecte] que atribueix, en grau superlatiu i amb marcada complaença, a un dels més destacats personatges simbòlics del seu llibre, tan poc real com carregat d'espícies per la fòbia de l'autor. (Rosselló 1993a, p. 56)

En una ressenya de la primera edició de *Mort de dama* que va sortir a la premsa de Barcelona, Oliver Brachfeld mostrava el seu entusiasme per la producció poètica d'Aina Cohen i citava «algunes estrofes d'aquestes paròdies [«La camperola» i «Lo poema humil d'Aina Maria, la bella masovera»] que són un mirall per a poetes de jocs florals, de poetes locals i regionals» (Rosselló 1993a, p. 60).

Abans de la guerra, Salvador Espriu, un dels escriptors més filosemites del país, va fer servir el personatge d'Aina Cohen en «El país moribund» (1934-35), un relat breu on es llegeix aquesta nota a peu de pàgina:

> He batejat així el meu personatge, perquè no he cregut lícit de designar-lo d'altra manera: Aina Cohen, la modèlica creació de *Mort de Dama*, l'admirable novel·la de «Dhey», el doctor Llorenç Villalonga, el gran escriptor català de Mallorca. (1991, p. 126)

Després de la guerra, Espriu va prologar l'edició catalana de 1954 de *Mort de dama*, on es refereix a «l'exquisida poetessa Aina Cohen, magra, recremada, xuetona, culta, folla, pura glòria local» (1954, pp. 19-20), és a dir, s'hi refereix en uns termes manllevats al narrador de Villalonga. Més endavant, però, insereix aquesta valoració:

> Sota uns trets caricaturescs, aquest personatge [...] és potser, juntament amb la baronessa de Bearn, un dels més complexos, penetrants i torbadors que ha creat la ploma de Llorenç Villalonga. És de debò un personatge tràgic. (1954, p. 21)

Espriu cita uns fragments de *Mort de dama* relatius a la repressió literària d'Aina Cohen perquè demostren, al seu parer, la «lucidesa psicològica» i el «vigor» estilístic de Villalonga, i perquè «poden dissortadament convenir a molts escriptors de la nostra circumstància, tan poc generosa, tan mesquina, reticent, humiliant i corglaçadora» (1954, pp. 22-23), tot i que la circumstància d'Aina Cohen i la d'Espriu no tenen res a veure: si hem de fer cas al narrador de *Mort de dama*, els responsables de la repressió literària que pateix la *poetessa* són ella mateixa i el grup de *Bé Hem Dinat*, mentre que la circumstància d'Espriu, dels escriptors de la Catalunya vençuda, era una imposició de la dictadura de Franco, que Villalonga, com a falangista, havia contribuït a instaurar. Per tant, és només gràcies a un esforç considerable de la imaginació que Espriu pot afirmar, a propòsit dels fragments de *Mort de dama* citats per ell mateix: «Per desgràcia de tots, les paraules copiades tenen entre nosaltres tanta actualitat ara com quan foren escrites. I no veig que els temps anunciïn cap canvi ni millora en aquest sentit» (1954, p. 23). Aquest esforç, però, és insuficient per evitar-li una certa incomoditat davant l'apèndix de la novel·la, «amb el qual potser no [està] massa d'acord, [ja] que conté cruels mostres de l'enginy líric de la pobra Aina Cohen» (1954, p. 28).

En prologar la quarta edició de *Mort de dama*, Joan Sales també va haver d'afrontar «el problema d'Aina Cohen», que qualifica de «vidriós» (1971, p. 25). Sales accepta que Villalonga mai no va sentir «la maligna temptació» de fer un retrat literari d'«una molt estimada poetessa de debò», perquè confia en la paraula de l'escriptor i, a més, «les circumstàncies d'una i altra [retrat literari i poeta de debò] no es corresponen ni poc ni molt —fora de pertànyer al mateix sexe i de conrear el mateix gènere de poesia» (1971, p. 25). I de ser totes dues lesbianes, és clar, però això Sales no ho sabia o s'ho va callar.

Aquest crític suposa que si Villalonga es va inspirar en una persona real, «degué ser algun cas que hauria conegut gràcies a la seva professió de psiquiatre», i hi treu importància: el valor d'Aina Cohen rau en el fet de ser «l'encarnació d'una idea abstracta» (1971, p. 25). Aina Cohen simbolitzaria «el regionalisme folklòrico-bucòlic» (1971, pp. 25-26) i no pas tots els intel·lectuals de l'illa, sense exceptuar l'autor, com havia indicat el seu germà Miquel «amb la bona intenció de treure verí a la cosa generalitzant-la» (1971, p. 26), una bona intenció que, com hem vist abans, s'originaria en el mateix Llorenç. Sales puntualitza:

> L'autor volgué, a parer nostre, satiritzar *exclusivament* el regionalisme folklòrico-bucòlic; i no pas pel folklore i el bucolisme en ells mateixos, ben respectables i benemèrits, sinó per la propensió d'alguns dels seus pontífexs a imposar-los obligatòriament com a únics temes permesos. (1971, p. 26)

Feta aquesta puntualització, concedeix que *La Nostra Terra* és el model de *Bé Hem Dinat* i apunta que Villalonga va ser «injust» burlant-se d'aquesta revista, ja que si bé entre els seus col·laboradors hi havia «alguns poetes del gènere ametllerívol i oliverívol d'Aina Cohen», també disposava d'«alguns magnífics escriptors amb plena consciència de les coses»: els que li «donaven el to» (1971, p. 28). Sales defensa la tasca realitzada per *La Nostra Terra*, parla d'«una mútua incomprensió» entre Villalonga i la revista, causada en part pel «tarannà tan 'sui generis' del gran novel·lista», i jutja un error haver interpretat *Mort de dama* «com un atac a fons contra els ideals essencials de la Renaixença» (1971, p. 30): un atac així seria impropi del creador de la novel·la mallorquina moderna. Reconeix que certes expressions utilitzades en la caracterització d'Aina Cohen com a *xueta* «podrien donar peu a lamentables males interpretacions», però rebutja categòricament que aquest personatge sigui el producte d'un prejudici antisemita: «El lector pot estar-ne cert: l'autor de *Mort de Dama* no comparteix ni poc ni molt —és massa intel·ligent— [aquest] prejudici» (1971, p. 37).

La voluntat d'exonerar Villalonga de qualsevol prejudici antisemita també es percep a l'estudi que Miquel Forteza, intel·lectual d'origen jueu i membre de l'Escola Mallorquina, va dedicar als *xuetes* de l'illa. L'estudi de Forteza inclou un capítol sobre les característiques físiques i morals dels *xuetes*, que, «més que racials, [serien] degudes als creuaments entre parents» (1970, p. 88). De les característiques físiques, Aina Cohen en tindria una: «el nas llarg, molsut i a vegades un poc corbat» (1970, p. 88). Entre les morals, Forteza enumera un sentiment d'inferioritat, real o fingit, i, almenys en alguns casos, «l'exhibicionisme religiós» (1970, p. 90), però nega la brutor i la suposada «avarícia» (1970, p. 89) de la seva gent, per més que alguns fossin prestadors.

En un altre capítol sobre diverses novel·les que tracten el tema dels *xuetes*, Forteza comenta la polèmica suscitada per la primera edició de *Mort de dama* i, des de la distància dels anys, equipara la reacció de Miquel Ferrà amb la de Gide davant l'obra de Proust («tant Gide com En Ferrà s'equivocaren de cap a peus»), i adopta una actitud conciliadora:

> Quan a dins la literatura mallorquina regnava un puritanisme excessiu, en tots conceptes, l'aparició d'una novel·la plena de situacions morals molt agosarades, escrita en un mallorquí incorrecte, havia de fer aixecar en contra, tots aquells escriptors que, precisament, foren els mateixos que l'any 1936 firmaren el famós *Missatge* (un dels documents més anodins que es puguin imaginar) que era una manifestació de fidelitat a la nostra llengua vernacla i que fou considerat, pels primers partidaris de nostra novel·la *Mort de dama*, com un manifest subversiu. En una paraula, tant d'una part com de l'altra, hi va haver malentesos. (1970, p. 180)

Forteza es fa ressò del *malentès* inicial que va induir molts lectors a interpretar Aina Cohen com «una caricatura de la nostra exímia poetessa Maria-Antònia Salvà» (1970, p. 181), principal motiu d'indignació dels escriptors de l'Escola Mallorquina, i descarta que la intenció de Villalonga hagués estat burlar-se de Salvà, tot i que «N'Aina podia esser una caricatura de l"Escola', com podia esser-ho dels escriptors del *carrer*, que han col·laborat brillantment a la nostra Renaixença literària» (1970, p. 181). Com Espriu, Forteza entén que Villalonga es va excedir amb l'apèndix de la novel.la. Després compara «lo que diu En Villalonga de N'Aina Cohen amb lo que jo crec la realitat» (1970, p. 182), troba que el novel·lista va captar molt bé la condescendència dels *botifarres* envers els descendents dels jueus conversos, confirma la tendència d'aquests a humiliar-se i fa broma amb la llargària del nas d'Aina Cohen (1970, p. 183). En un fragment molt revelador sobre el catolicisme i el tradicionalisme recalcitrants que el narrador de *Mort de dama* atribueix als *xuetes*, Forteza avala la sinceritat del catolicisme de la seva gent i formula aquest judici inquietant:

> Si [el seu catolicisme no hagués estat sincer], potser es podria justificar la segregació religiosa que hi ha hagut fins fa poc; però com que el nostre catolicisme fa molts segles (jo crec que des de la conversió) que és veritable, tota la segregació ha estat injusta. (1970, pp. 183-184)

A diferència del narrador de *Mort de dama*, Forteza no creu que els *xuetes* siguin més intel·ligents i més cultes que els altres habitants de l'illa, però li sembla admirable l'ús villalonguià de la frase «[j]a l'ha feta» o «[h]a fet sa xuetada», de la frase amb què la baronessa de Bearn podria destruir totes les aspiracions d'Aina Cohen. Comparar la novel·la amb la realitat viscuda per ell mateix li permet concloure que «quasi totes les observacions de *Mort de dama* sobre el nostre assumpte són reals» (1970, p. 184) i que Villalonga tracta aquest «assumpte» amb molt d'encert.

Fa anys, Joaquim Molas va fer seva la teoria dels germans Villalonga que «Aina Cohen és el símbol dels grups intel·lectuals i, fins a cert punt, dels grups regionalistes de l'illa», i va veure la *poetessa* com «un personatge dens i torturat. Tràgic» (1966, p. 17), víctima d'una contradicció que la porta «a certes desviacions lesbianes» (1966, p. 18) i a la bogeria. En un text més recent, Molas concreta:

Aina Cohen, construïda amb materials trets de diversos poetes insulars, de Maria Antònia Salvà a don Guillem Colom, passant per Joan Alcover, és el paradigma de tota una escola, l'anomenada «mallorquina». (1999, p. 24)

Vidal Alcover relaciona Aina Cohen amb «una coneguda, i excel·lent, poetessa» (1980, p. 9) i, al mateix temps, certifica la seva ficcionalitat:

> El personatge mític per excel·lència de Llorenç Villalonga, Aina Cohen, no ha existit mai [...]. Però com a mite és absolutament vàlid, i serveix per designar molts d'aspectes d'una bona part dels autors més representatius de l'anomenat Noucentisme, illenc i de fora Mallorca. (1980, p. 15)

Vidal Alcover assegura que a Villalonga no li desagradava que el prenguessin per un aristòcrata, «però sí que li [diguessin] jueu» (1980, p. 43),[3] aclareix la raó del cognom Cohen («Cohen només vol dir jueu, no gosant l'autor emprar cap dels tretze o quinze llinatges reconegudament xuetes de l'Illa» [1980, p. 61]) i mostra una perplexitat molt comprensible davant l'elogi de Forteza a *Mort de dama* pel tractament que s'hi fa dels *xuetes*:

> Els punts sobre els quals recolza Miquel Forteza la seva lloança fàcilment es podien transformar en raons d'atac contra l'autor del famós esperpent. En realitat, Llorenç Villalonga no fa més que valer-se de la indiscreció permesa al novel·lista per expressar en lletra de motlle allò que és la mentalitat elemental del comú del país mallorquí. (1980, p. 61)

3. Al «Prólogo parabólico» que va escriure per a la primera edició (en castellà) de *Bearn*, C. J. Cela hi va incloure aquesta frase sobre Villalonga: «Probablemente es judío» (Cela 1956, s.p.). La frase en qüestió va fer que Villalonga se sentís obligat a replicar amb un altre pròleg brevíssim o nota preliminar, que comença així: «Villalonga es un apellido ilustre y vulgar en Mallorca. La rama de los Villalonga de Tofla cuenta con diez bayles reales que entre 1622 y 1804 administraron, desde su salvaje solar, justicia en nombre del Rey, actividad vedada entonces a semitas. Baste con este dato, que nada tiene que ver con la presente novela: su autor no desdeñaría pertenecer, como se insinúa en el prólogo [de Cela], a la raza inteligente y cautelosa que en veinte siglos ha creado la cultura occidental, pero la Historia es la Historia» (Villalonga 1956, s.p.).

Com Màrius Verdaguer en ressenyar la primera edició de *Mort de dama*, Vidal Alcover sap que a Mallorca l'antisemitisme és «marcadíssim» i que «Llorenç Villalonga hi participa plenament» (1980, p. 67). Vidal Alcover és, doncs, el primer crític de després de la guerra que es refereix d'una manera explícita a l'antisemitisme de Villalonga. Si no m'equivoco, també és l'únic que celebra la idoneïtat dels poemes d'Aina Cohen («un èxit com a obres de la seva autora» [1980, p. 75]) recollits a l'apèndix de la novel·la.

A la seva biografia del novel·lista, Jaume Pomar no analitza l'antisemitisme que intervé en la construcció d'Aina Cohen, encara que en algun moment al·ludeix al «prejudici antixueta» (1995, p. 260) del seu creador i dóna notícia d'un poema villalonguià inèdit, «Nit de divendres», que seria «la manifestació literària més antixueta que hagi produït mai la cultura mallorquina en cap de les dues llengües» (1995, pp. 262-263). En un altre indret, Pomar ha qualificat Aina Cohen, darrere el nom de la qual «podem detectar la fòbia antixueta de l'autor», de «beneita i disbauxada», i hi ha vist una representació malintencionada dels poetes de l'Escola Mallorquina i els intel·lectuals regionalistes de Mallorca (1998, p. 55).

Encara que el seu concepte de la dona li sembli «doblement reaccionari per masclista i per classista», Mª Manuela Alcover atorga a Villalonga el mèrit de ser «el primer escriptor, a Mallorca, que ha enregistrat la repressió de la dona en el personatge, insuperable, d'Aina Cohen» (1988, p. 71), gairebé com si la *poetessa* constituís una declaració d'intencions feminista per part del seu creador. Alcover opina que, en «el retrat d'Aina Cohen», Villalonga ha estat «sanguinari i certer», destaca que la *poetessa* «pateix una doble marginació: per dona i per *xuetona*», i proclama: «Gran encert de Villalonga el d'haver[-la] fet *xuetona*» (1988, p. 73). Per a Alcover, Aina Cohen seria una

> [f]igura patètica, d'un patetisme atroç, [...] suficient per a donar a Villalonga un lloc de primer ordre en la literatura. Amb els dos personatges de dona Obdúlia i d'Aina Cohen va retratar la cara i la creu de la societat mallorquina de finals del XIX i de principis del XX. (1988, p. 74)

Finalment, P. Louise Johnson ha proposat una interpretació que es fa càrrec de la «misogínia» de Villalonga (2002, p. 77) en crear aquest personatge, que ella situa sobretot en el context d'una altra novel·la, *L'hereva de dona Obdúlia* (1964, 1970), i estudia, juntament amb altres artistes ficcionals villalonguians, «com a [representant] d'una visió de decadència» (2002, p. 80) a partir del pensament d'Oswald Spengler sobre l'art i la cultura.

Qui és Aina Cohen?

Qui és, doncs, Aina Cohen? És un *alter ego* literari de Villalonga o una versió de l'Altra? Què volia dir exactament Espriu en qualificar-la de personatge *torbador*? Com és que ha estat objecte d'interpretacions tan diferents com les de Forteza i Vidal Alcover, o les de Mª Manuela Alcover i Johnson? Per contestar aquestes preguntes ens hem d'imaginar la *poetessa* com un punt d'intersecció d'una sèrie de discursos que la converteixen en un personatge ambigu i força complex.

D'entrada, Aina Cohen és una peça molt important de l'entramat metaficcional de *Mort de dama*, una novel·la antirealista que per mitjà d'aquest personatge es burla de la literatura anacrònica en mallorquí, localista, *putrefacta*. Així, Aina Cohen enllaça amb els articles de crítica literària que Villalonga havia publicat a la premsa de Palma des de 1924, on exposa el seu ideari estètic, que molt sovint és el d'un divulgador de les idees d'Ortega. De fet, Aina Cohen és un personatge en què ressona l'eco d'Ortega, que a *La deshumanización del arte* havia insinuat:

> Sería de interés analizar los mecanismos psicológicos por medio de los cuales influye negativamente el arte de ayer sobre el de mañana. Por lo pronto, hay uno bien claro: la fatiga. La mera repetición de un estilo embota y cansa la sensibilidad. (1957b, p. 381, n.1)

A banda de ser un personatge que ficcionalitza «el arte de ayer» tal com el concep Ortega, amb el qual «el arte ridiculiza el arte» (Ortega 1957b, p. 382), Aina Cohen reuneix algunes de les característiques dels intel·lectuals i poetes catalans més criticades per Salvador Dalí, Lluís Montanyà i Sebastià Gasch al «Manifest groc». Dalí, Montanyà i Gasch assenyalen, per exemple, «el grotesc i tristíssim espectacle de la intel·lectualitat catalana d'avui, tancada en un ambient resclosit i putrefacte» (Dalí *et al.* 1983, p. 327), i, entre altres coses, denuncien «la manca absoluta de decisió i d'audàcia», «la por als nous fets, a les paraules, al risc del ridícul» d'aquests intel·lectuals, «el soporisme de l'ambient podrit de les penyes i els personalismes barrejats a l'art», «els joves que pretenen imitar l'antiga literatura», i «la poesia catalana actual, feta dels més rebregats tòpics maragallians» (Dalí *et al.* 1983, p. 329), que a l'obra d'Aina Cohen no serien maragallians, sinó de l'Escola Mallorquina.[4]

Que Aina Cohen sigui una peça de l'entramat metaficcional de *Mort de dama* és compatible amb l'opció d'interpretar-la com un *alter ego* literari de Villalonga, tal com ell mateix ens va convidar a fer. Al meu entendre, però, la frase «*Ayna Cohen soy yo*» revelaria un temor més que una realitat: el temor de Villalonga d'acabar essent un escriptor de províncies ofegat per l'estultícia del medi. És per això que Aina Cohen funciona com un estereotip. Segons Sander L. Gilman,

> Tots creem imatges de coses que temem o enaltim. Aquestes imatges mai no resten abstracccions: les concebem com unes entitats del món real. Els assignem etiquetes que serveixen per separar-les de nosaltres. Creem «estereotips». (1985, p. 15)

4. L'anacronisme de la cultura i la literatura mallorquines que Villalonga condemna a través del personatge d'Aina Cohen no és pas gaire diferent de l'anacronisme de la literatura catalana que ja havien condemnat els modernistes del Principat de finals del segle XIX: «Aquests homes creien [...] que la cultura catalana del seu temps patia de dos mals bàsics: era, d'una banda, una cultura endarrerida respecte a les cultures nacionals modernes europees i, encara pitjor, una cultura tradicionalista que s'obstinava en aquest endarreriment; d'altra banda, era una cultura que no aspirava a la universalitat, sinó que era, per essència, localista, una cultura que havia nascut com a expressió d'un particularisme regional i que no gosava anar més enllà, sacrificant les seves peculiaritats diguem-ne pairals» (Marfany 1975, p. 16). Per a Villalonga, però, la cultura i la literatura mallorquines no eren ni podien ser una cultura i una literatura nacionals, només regionals.

Aquests estereotips són positius o negatius: «[L'Altre dolent] és allò en què ens fa por de convertir-nos; [l'Altre bo] és allò que ens fa por de no poder aconseguir» (1985, p. 20). Andrea Freud Loewenstein ha intentat demostrar que Graham Greene, Wyndham Lewis i Charles Williams van fer servir la figura del jueu «com un receptacle per a aquelles parts de si mateixos que els resultaven més desagradables i que més necessitaven rebutjar» (1993, p. 243). Potser l'aspecte o un dels aspectes de si mateix que a Villalonga li resultava inacceptable i li calia rebutjar era justament la possibilitat d'acabar com un escriptor de províncies ofegat pel medi, un escriptor sense veu pròpia, és a dir, sense veu. Com la Fräulein Anna O. de Josef Breuer, un dels intertextos que s'entreveuen a la figura d'Aina Cohen.

La semblança entre Aina Cohen i Anna O. no es redueix al nom. Filla d'una família jueva ortodoxa, Anna O. és considerada per Breuer una persona molt intel·ligent i d'una gran intuïció. A més, «[t]enia un gran talent poètic i una gran imaginació, controlats per un sentit comú molt esmolat» (Breuer s.d., p. 21). La família d'Anna O. era puritana i ella portava una vida avorrida, tot i que feia el que podia per alegrar-se-la, que era ben poc:

> Adornava la seva vida d'una manera que probablement va exercir una influència decisiva sobre la trajectòria de la malaltia, somiant a totes hores: d'això en deia el seu «teatre privat». (Breuer s.d., p. 22).

Curiosament, és «dins els seus desvarieigs poètics-eròtics» que Aina Cohen analitza «el vestit de la pageseta» (p. 168) i la despulla, i és dalt d'un escenari que es manifesta la seva bogeria. En el cas d'Anna O., la histèria és la causa de símptomes físics importants, i Breuer fa constar l'alternança freqüent entre dos estats de consciència cada cop més diferenciats en el transcurs de la malaltia. Aina Cohen pateix un desdoblament «en dues entitats independents, que [fan] esforços per trobar-se i confondre's» (p. 168): l'escriptora culta i experta, i la jove pagesa ingènua a qui l'escriptora ha d'obrir els ulls a la vida i a la bellesa del seu propi cos. En relació amb Aina Cohen, el més interessant de la història d'Anna O. és la pèrdua progressiva de la capacitat de parlar. Com és sabut, Anna O. va superar la seva malaltia gràcies a la *talking cure*. Expressar-se, però, és el que no pot fer la *poetessa* mallorquina.

Encara que el narrador la responsabilitza parcialment de no tenir una veu original, hi ha una manera de llegir Aina Cohen que l'exonera d'aquesta responsabilitat. Johnson observa que pateix «l'opressió cultural [...] a les mans d'una elit masculina (incloent-hi el narrador, és clar) durant la seva vida activa» (2002, p. 119, n.88). Aquesta opressió es deu a les fortes limitacions imposades pel grup de la revista *Bé Hem Dinat* i, en general, per l'ambient cultural (masculí) de l'illa, que pràcticament no li deixen cap espai. Des d'aquesta perspectiva, el perfil d'Aina Cohen s'ajustaria al de l'escriptora del segle XIX víctima del patriarcat.

En el context de la literatura anglesa, Elaine Showalter explica que la posició dels crítics victorians envers la literatura de dones

> donava a entendre que per a elles escriure requeria tan poc artifici i tan poc esforç com cantar per als ocells, i per tant la seva obra no podia competir amb l'eloqüència masculina més tradicional. (1977, p. 82)

Doncs bé, l'actitud d'Aina Cohen envers els seus poemes és idèntica a la que van adoptar les novel·listes de l'època victoriana en veure l'esforç dels crítics per trivialitzar la seva obra, que passava per ser una obra sentimental, impregnada d'emoció:

> Més que protestar contra aquesta crítica, les dones escriptores [...] la van reforçar traient importància a l'esforç que hi havia darrere la seva obra, i procurant que aquesta obra semblés un vessament espontani de les seves emocions femenines. (Showalter 1977, p. 83)

Al capítol «Es murmura en l'avant cambra», el narrador reprodueix el judici d'un crític local sobre «La camperola», publicat dotze anys abans dels moments previs a la mort imminent de Dona Obdúlia, que recolza en unes paraules de la mateixa Aina Cohen sobre la seva activitat poètica. El crític compara «[l]a gràcia ingènua» (p. 42) del poema amb la de Teòcrit i Virgili, i continua així:

> Com una abella brunzent, a sa possessió de Son Magraner, Aina Cohen, la dolcíssima poetessa, destil·la mel vora la llar; en les vetllades hivernenques la vella casa pairal vibra de les seves cançons... «I què hi haig de fer, ens diu Aina Cohen jogant amb el davantal de roba de llengües, que mai no abandona; jo som una bestiola casolana. Nasquí cantant, com els ocells, i cantant em moriré. Cant per jo mateixa, per satisfer la meva set espiritual... Jo crec que les meves composicions no valen res. Som dona, tinc cor de dona i dic el que sent, com una ximpleta.» D'aquesta manera, seguia el crític, en N'Aina Cohen, el talent s'agermana amb la modèstia.[5] (p. 43)

El símil de l'abella és un símil recurrent al llarg de la novel·la, i l'actitud d'Aina Cohen envers els seus poemes es torna a fer palesa més endavant, al capítol «Equilibris de N'Aina Cohen», quan es posa en contacte amb *Bé Hem Dinat* arran de la mort del marquès de Collera: «No em demaneu una elegia. La millor elegia és la que no s'escriu! Jo no sé versificar, ni n'he sabut mai. Vos envii una modesta glosa: és solament un crit del cor...» (pp. 114-115).

Aina Cohen intenta combinar el paper d'àngel de la casa (un paper molt forçat: no està casada, no té fills i no hi està bé, a casa, on sempre es baralla amb les criades) amb el d'escriptora de sonets als ametllers florits i elegies a les oliveres que confessa públicament la seva falta d'ofici i menysté la seva obra perquè només és «un crit del cor» o, en paraules de Showalter, «un vessament espontani de les seves emocions femenines».

Susan Kirkpatrick ha demostrat que entre 1840 i 1850 a l'Estat espanyol es va produir una modificació dels codis que regien les diferències de gènere. En aquesta dècada, la litera-

5. El «Manifest groc» també denuncia «l'absoluta indocumentació dels crítics respecte a l'art d'avui i l'art d'ahir» (Dalí *et al.* 1983, p. 329).

tura de dones va guanyar un cert espai gràcies a dos factors paral·lels: la necessitat per part de la premsa de comptar amb escriptores que s'adrecessin a un públic femení, aleshores nou, i l'avanç de les idees liberals i romàntiques que, en associar poesia amb emoció, legitimaven l'activitat poètica de les dones. Però era un espai molt limitat:

> La diferenciació persistent dels papers adjudicats a cada gènere [...] definia d'una manera estricta aquest espai com un espai semblant al que la dona ocupava dins la llar. I el mecanisme que garantia que el paper de la dona en la producció literària reflectís el seu paper dins la família, era la concepció normativa de la subjectivitat femenina. (1989, p. 95)

En analitzar «Si para entrar en tan difícil vía...», un sonet de Carolina Coronado, Kirkpatrick comenta que la veu poètica (femenina) recorre a les imatges naturals per expressar «la idea de la feblesa o insuficiència femenines respecte als temes masculins 'seriosos' [*high*]» (1989, p. 212) i s'identifica amb una abella, insecte humil d'ales curtes i vol baix, que no pot aspirar a seguir el vol viril de l'àliga: «Així, a l'àngel de la casa se li canvia el paper pel de l'abella, treballadora humil de la naturalesa, sempre pendent del rusc» (1989, p. 213). Tant el sonet de Coronado com la novel·la de Villalonga es valen del símil de l'abella per delimitar l'espai de la dona escriptora. La coincidència és relativa, és clar, ja que a *Mort de dama* el símil està tenyit d'ironia i al sonet de Coronado, no. El que voldria destacar, però, és que en Aina Cohen conflueixen les dues identitats que posa en relleu la lectura del sonet de Coronado proposada per Kirkpatrick: la de l'àngel de la casa («jo som una bestiola casolana») reconvertit en abella/ escriptora que només escriu per expressar les seves emocions («un crit del cor»).

Aquestes paraules de Kirkpatrick sobre Carolina Coronado es podrien aplicar perfectament a la *poetessa* de Villalonga:

> La tensió entre [...] la força d'un desig poètic d'experiència, coneixements, resultats [*achievement*], i les restriccions de la socialització femenina, va esdevenir la figura constitutiva de la

> subjectivitat de la poeta. En aquest sentit, el jo poètic de Coronado és [...] un jo dividit, víctima de les contradiccions entre el concepte romàntic del subjecte individual sobirà i la ideologia de gènere pròpia del segle XIX. (1989, pp. 242-243)

Podem reivindicar Aina Cohen com aquesta subjectivitat en tensió, com una escriptora oprimida pel patriarcat. Però no podem ignorar que és un estereotip *negatiu*, que els seus versos són d'una banalitat insuperable. És veritat que Villalonga afirma: «*Ayna Cohen soy yo*», però ho fa per rebutjar allò que troba o trobaria inacceptable de si mateix com a escriptor. En certa manera, doncs, potser Aina Cohen *és* Villalonga, però al mateix temps *també* és l'Altra.

Taguieff, Kauffmann i Lenoire assenyalen la complicitat de la judeofòbia amb altres formes de discriminació:

> L'antimaçoneria, l'anticomunisme, l'antiliberalisme, l'antifeminisme, l'homofòbia, l'antisemitisme i la xenofòbia es simbolitzen mútuament, remeten els uns als altres com un joc de miralls, formen síntesis i sincretismes. (1999, p. 36)

El sincretisme de misogínia i antisemitisme és evident a *Sexe i Caràcter* (1903), l'obra del jueu vienès Otto Weininger. Aquest autor creu que hi ha estats intermedis entre el tipus d'home ideal i el tipus de dona ideal, dos tipus que com a tals no existirien, i elabora un llarg catàleg de tòpics misògins que inclou el lligam dona/ sentimentalitat o la falta d'imaginació de la dona, que la incapacitaria per a les tasques artístiques importants, encara que «[a]llà on [...] una sentimentalitat feble i vaga es pot expressar sense gaire esforç, com en la pintura o en la poesia [...], les dones han buscat i han trobat un camp adient per a la seva obra» (1906, p. 119). Weininger està convençut de la superioritat immensa de l'home sobre la dona (1906, p. 252). La dona no és res: «Les dones no tenen essència ni existència; no són, són no-res. [...]. La dona no participa de la realitat ontològica» (1906, p. 286). La dona simplement no té sentit (1906, p. 297).

Weininger relaciona feminitat i judaisme, que no seria una

raça, un poble o una creença, sinó una tendència de l'esperit que es podria donar a qualsevol raça però de fet només es dóna entre els jueus (1906, p. 303). Segons ell, «el judaisme està saturat de feminitat, precisament d'aquelles qualitats l'essència de les quals és més oposada a la naturalesa masculina» (1906, p. 306). En tractar de les analogies entre feminitat i judaisme no es descuida d'esmentar l'avarícia del jueu (1906, p. 324) i la covardia extrema del judaisme (1906, p. 325). Finalment, profereix aquesta opinió sobre la seva època (una època de crisi): «La nostra època no sols és la més jueva, sinó la més femenina» (1906, p. 329).

A la introducció de *Sodome i Gomorrhe*, Proust identifica el jueu i l'homosexual a través de la fórmula de la raça maleïda:

> Raça sobre la qual pesa una maledicció i que ha de viure en la mentida i el perjuri perquè sap que el seu desig, allò que proporciona a totes les criatures el benestar més gran, és considerat confiscable, inconfessable, vergonyós [...]. (1987, p. 509)

La construcció del personatge d'Aina Cohen combina antisemitisme, homofòbia i misogínia. Al prefaci del seu estudi sobre la vida i l'obra de les escriptores anglosaxones expatriades a París entre 1900 i 1940, moltes de les quals havien estat excloses de les històries del Modernisme,[6] Shari Benstock explica que es va haver de plantejar de quina manera les definicions del Modernisme i les interpretacions del que ella anomena «l'experiència modernista» (1987, s.p.) havien portat a terme aquesta exclusió. Despres escriu:

> L'origen de la misogínia, l'homofòbia i l'antisemitisme que marquen de manera indeleble el Modernisme es troba en el subsòl de costums polítics i sexuals canviants que constitueix la societat del *Faubourg* de la *belle époque*, i és aquí que comença la història d'aquestes dones [...]. (1987, s.p.)

Si volem afinar més, diríem que antisemitisme, homofòbia i misogínia són característiques d'un determinat tipus de Mo-

6. Vegi's nota 1.

dernisme: el Modernisme reaccionari que a la literatura anglesa estaria representat per escriptors com T. S. Eliot, Wyndham Lewis o Ezra Pound. Em sembla legítim, doncs, interpretar Aina Cohen com l'Altra creada per la versió villalonguiana del *Modernism*. Andreas Huyssen pensa que

> [e]l Modernisme es constitueix per mitjà d'una estratègia conscient d'exclusió, un temor [*anxiety*] de ser contaminat per l'Altre: una cultura de masses cada cop més absorbent, que ho engoleix tot. (1988, p. VII).

Si per al Modernisme l'Altre és la cultura de masses, per a Villalonga és la literatura vernacla, o les formes més florals, més deixatades, de la literatura vernacla. De fet, però, l'Altre del Modernisme tal com l'entén Huyssen i la versió de l'Altra que Villalonga crea a *Mort de dama* són molt semblants. Suzanne Clark recalca que a la història de la literatura

> el «seriós» es constitueix cop i recop [...] per oposició a l'alteritat d'un discurs feminitzat que funciona, com la mateixa dona, per fer possible la definició binària. El contingut concret d'aquestes oposicions varia, però la diferència amb marques de gènere es renova. El romanticisme, per exemple, sorgeix per oposició a una sentimentalitat feminitzada [...]. Però el modernisme es constitueix combinant el romàntic amb el sentimental i el popular. (1991, p. 19)

La literatura d'Aina Cohen no és popular, però encaixa bé amb el paradigma de la sentimentalitat («un crit del cor»). No és pas estrany que Villalonga remarqui l'afinitat entre el seu personatge i l'heroïna de *Madame Bovary* (1856), un dels textos precursors del Modernisme, i, per tant, entre ell i Flaubert. Per a Huyssen, el fenomen de la identificació de l'escriptor amb la dona («*Ayna Cohen soy yo*») i, concretament, de Flaubert amb Emma Bovary («Madame Bovary, c'est moi»), s'ha de situar en el context de la posició cada cop més marginal de la literatura dins una societat que marca amb valors masculins els àmbits de la ciència, el dret, la indústria o els negocis. Ara bé,

> Al mateix temps, també s'ha fet evident que la feminitat imaginària dels autors masculins, que a vegades fonamenta la seva posició disconforme amb la societat burgesa, és fàcilment compatible amb l'exclusió de les dones reals de l'empresa literària, i amb la misogínia del mateix patriarcat burgès. (1988, p. 45)

Molts escriptors emblemàtics del Modernisme van rebutjar la literatura sentimental, *femenina*. En el primer manifest futurista (1909), Marinetti no amaga el seu menyspreu per la dona i pel feminisme. En una conferència de 1908 o 1909, T. E. Hulme reflexiona així sobre la *decadència* de la poesia de l'època:

> La carcassa és morta, i totes les mosques s'hi posen. La poesia imitativa creix com els herbots, i les dones ploriquegen que tu i que jo, ai las!, i roses, roses i més roses. Es converteix en l'expressió de la sentimentalitat més que del pensament viril. (1955, p. 69)

Aquest rebuig també es perceptible a la teoria poètica que Eliot exposa a «La tradició i el talent individual» (1919), on la perfecció de l'artista depèn del seu distanciament respecte del jo que pateix, o a *La deshumanización del arte* i, encara més, a «La poesía de Ana de Noailles» (1929), un article menys conegut d'Ortega sobre la poesia de la comtessa Ana (una altra Ana!) de Noailles. Aquí Ortega descriu Ana de Noailles com «la hilandera mayor del lirismo francés», parla del seu darrer volum de poemes (*Las fuerzas eternas*), un volum «atestado de flores, de astros, de abejas, de nubes, golondrinas y gacelas» (1957d, p. 429), i li censura que tant als seus versos com a la seva prosa hi hagi «una excesiva y monótona preocupación por el amor» (1957d, p. 430). Malgrat les seves reserves, Ortega creu que «la poesía de la Noailles es espléndida», però de seguida qüestiona la capacitat de la dona per fer una poesia lírica d'autèntica qualitat: «¿Hasta qué punto puede alojarse en la mujer la genialidad lírica?», es pregunta (1957d, p. 432). Per aconseguir aquesta genialitat, «[h]ace falta que el último núcleo de nuestra persona sea de suyo como impersonal y esté

[...] constituído por materias trascendentes» (1957d, p. 433). I, per descomptat, «estas condiciones sólo se dan en el varón» (1957d, p. 433). Si hi hagués hagut més dones amb talent («talentos formales») per escriure poesia, s'hauria comprovat que «el fondo personal de las almas femeninas» (1957d, p. 434) és sempre idèntic, sempre intranscendent. Per això Ortega compara Ana de Noailles amb Safo de Lesbos (1957d, p. 434).

A *Mort de dama*, l'honor d'haver estat el primer de comparar Aina Cohen amb Safo correspondrà al marquès de Collera (pp. 111-112).

Conclusió

Al seu estudi sobre l'antisemitisme a l'obra de T. S. Eliot, Anthony Julius distingeix entre l'antisemitisme del poeta i l'antisemitisme del text: «En tant que adhesió [*allegiance*] del poeta, l'antisemitisme es pot passar per alt; l'antisemitisme del tema d'alguns dels seus poemes, no» (1995, p. 9). Em sembla que és així que cal enfocar l'estudi de *Mort de dama*. Durant molts anys la crítica ha negligit els aspectes més desagradables d'Aina Cohen. Hi ha excepcions notables (Màrius Verdaguer, Vidal Alcover, Johnson), però el debat s'ha centrat massa sovint en aspectes anecdòtics (qui és el model real d'Aina Cohen?), que tenen un interès molt relatiu, si és que en tenen algun. Per a Julius, «[d]els molts tipus d'antisemita que existeixen, Eliot era del més infreqüent: el que és capaç de posar l'antisemitisme al servei del seu art» (1995, p. 11). El mateix es podria dir de Villalonga i *Mort de dama*. Al meu entendre, és precisament perquè Villalonga va ser capaç de posar els seus prejudicis al servei de la seva literatura que *Mort de dama* té una manera de significar molt específica. Aquesta manera de significar neix de la tensió entre l'estètica contestatària de l'antinovel·la, de la novel·la que desestabilitza els codis del realisme i el naturalisme, d'una banda, i, de l'altra, els vells prejudicis de la ideologia dominant. «Un text que pot semblar desestabilitzador i subversiu des d'una pespectiva política, es converteix en portador d'ideologies dominants quan se'l llegeix des d'una altra» (Felski 1995, p. 27). A *Mort de dama*, la famosa ambivalència de Villalonga es manifestaria a través d'un text formalment avantguardista i, al mateix temps, profundament reaccionari.

Segona part:

BEARN O LA SALA DE LES NINES

1. Una interpretació de *Bearn o la sala de les nines* a la llum d'Ortega, Zola i Nietzsche

Els crítics estan d'acord que *Bearn o la sala de les nines* (1956, 1961) és la millor novel·la de Villalonga, o almenys una de les millors. Probablement també és la més complexa. No és pas estrany, doncs, que hagi estat objecte de lectures diferents. La meva intenció és utilitzar algunes d'aquestes lectures com a punt de partida per ampliar-ne el ventall, reprenent així el fil d'un assaig de Jordi Castellanos que proposa «una reordenació de la lectura de *Bearn o la sala de les nines*» (1995, p. 75). En aquest assaig, Castellanos esmenta els estudis més destacats que té a la seva disposició i afirma que no pretén afegir-hi res de nou, tot i que els considera insuficients, ja que «no hi [acaba] de trobar reflectit el sentit últim que [...] té la novel·la» (1995, p. 75). En reordenar la lectura, el que fa Castellanos és oferir-ne una de nova, que il·luminaria aquest «sentit últim», marcadament polític, de l'obra més canònica de Villalonga.

Avui, a la llista d'estudis esmentats per Castellanos i del seu propi assaig, cal incorporar-hi el de P. Louise Johnson (2002), el de Margarida Aritzeta (2002) i els aplegats per Catalina Sureda (2003). Més endavant comentaré algun aspecte dels estudis de Johnson i d'Aritzeta. Primer, però, voldria esbrinar si a *Bearn* Villalonga al·ludeix a la seva militància falangista durant la Guerra Civil, i per això m'hauré de referir sobretot a les lectures de Joan Alegret (1988) i del mateix Castellanos.

Bearn és una llarga carta datada el 1890 que Joan Mayol, capellà de la casa de Bearn, escriu a un amic seu, Miquel Gilabert, secretari del senyor Cardenal Primat de les Espanyes, per exposar-li «un cas de consciència» (1993a, p. 16): els dubtes que li provoquen les morts de Don Toni (el seu «protector» i probablement el seu pare biològic) i Dona Maria Antònia, senyors de Bearn, en circumstàncies estranyes, així com l'encàrrec de publicar les *Memòries* de Don Toni, que aquest li ha fet abans de morir. La carta consta d'una «Introducció», dues parts centrals que tracten de la vida de Don Toni, i un «Epíleg» que va ser incomprensiblement suprimit a la primera edició catalana de la novel·la (1961). A l'epíleg, Joan Mayol relata els fets de la història més acostats al moment de la narració: la visita a Bearn del doctor Wassmann i el seu secretari, dos Rosenkreuzer del Centre Imperial d'Investigacions Maçòniques i Teosòfiques de Prússia enviats pel Canceller Bismarck per obtenir informació sobre Don Felip de Bearn, avantpassat de Don Toni.

Don Felip és una figura força enigmàtica. Va néixer el 1780, va ser capità de l'exèrcit espanyol, amant de la reina Maria Lluïsa i potser de Godoy. Expulsat de l'exèrcit a causa de la seva afició a vestir nines, es va retirar a Bearn, des d'on va mantenir correspondència amb alguns membres de les corts espanyola i prussiana. Nines i correspondència es guarden a la sala de les nines, on fa més d'un quart de segle que no entra ningú per prohibició expressa de Don Toni. Don Felip va morir a la seva cambra, aparentment assassinat.

En el transcurs de la seva entrevista amb els emissaris del Canceller Bismarck, Joan Mayol s'assabenta que l'arxiu de la casa de Bearn va ser expurgat el 1866 pel mateix Don Toni, que Don Felip va ser maçó i que la seva figura interessa molt a Alemanya precisament pels seus contactes amb la maçoneria: «Estam fent una història completa de la maçoneria» (p. 227), li explica el doctor Wassmann. Sabedor que Don Toni havia estat maçó durant un període breu de temps, Joan Mayol també té l'oportunitat de confirmar la seva relació amb els Rosenkreuzer de Prússia, amb qui s'hauria cartejat entre 1862 i 1866, abans de trencar-hi definitivament. Arran d'aquesta ruptura, els Rosenkreuzer van catalogar Don Toni com un personatge «sospitós» (p. 227) i va ser vigilat. El doctor Wassmann reconeix que per part de Don Toni no es va produir «una ruptura violenta», però que «en la maçoneria les defeccions no s'obliden» (p. 227), i llegeix a Joan Mayol un fragment de l'última carta de Don Toni als Rosenkreuzer, datada el vuit de gener de 1866, en què exposa el perquè de la seva decisió d'apartar-se de la fraternitat:

> «... He decidit apartar-me de les seves organitzacions. No em comptin com a enemic, sinó com un desil·lusionat... Admir en vostès una fe que no compartesc. Estiguin tranquils respecte dels secrets a mi confiats. Avui mateix queden tancats amb pany i clau a la sala de les nines [...].» (p. 228)

Al doctor Wassmann i al seu secretari els convé tenir accés a la sala de les nines perquè «[é]s allà, on es conserva el vertader arxiu» (p. 227) de la casa de Bearn, el que guarda els «secrets» de què parla Don Toni a la seva carta de ruptura amb els Rosenkreuzer. Per això fan una proposta molt temptadora a Joan Mayol en nom de Bismarck: comprar la finca de Bearn, que, com indica Wassmann, «de fet pertany als creditors», i nomenar-lo «administrador vitalici» (p. 229), així ells obtindrien la informació que busquen i el sacerdot no hauria d'abandonar el lloc on va néixer i on voldria morir. Per guanyar temps, Joan Mayol els insinua que acceptarà la proposta, però no es deixa seduir. Els prussians se'n van convençuts que tot es resoldrà satisfactòriament i, quan ja són fora, Joan Mayol s'afanya a cremar l'arxiu de la sala de les nines amb l'ajuda d'un criat. L'endemà, els emissaris de Bismarck tornen a Bearn i descobreixen que ja no hi queda res. Decebut, el doctor Wassmann diu al seu secretari: «Els suplantadors han destruït totes les proves de la seva bastardia» (p. 232).

En analitzar el paper de les societats secretes a *Bearn*, Alegret recorda que «la 'conspiració judeo-maçònica internacional'» va ser «un tema habitual i candent» a l'Europa d'entreguerres (1988, p. 57), crida l'atenció sobre l'interès pels maçons d'uns quants autors que haurien pogut influir sobre Villalonga (Goethe, el Gide de *Les caves du Vatican* [1914], l'Anatole France de *La Rôtisserie de la Reine Pédauque* [1893] i *Les Opinions de M. Jérôme Coignard* [1893], Jung), i interpreta els dos Rosenkreuzer que fan acte de presència a l'epíleg de la novel·la com «una paràbola dels nazis històrics de la primera meitat del segle xx, amb el seu irracionalisme vitalista i amb la seva creu gammada» (1988, p. 59). Segons Alegret, Villalonga no va triar a l'atzar els anys en què Don Toni manté contacte epistolar amb els Rosenkreuzer (1862-1866): «són els anys en què el regne de Prússia, governat pel canceller Bismarck, aconsegueix l'hegemonia política dins Alemanya, desbancant l'Àustria imperial», i és el 1862, any del nomenament de Bismarck com a canceller, quan «comença la gran època del militarisme germànic» (1988, p. 59). D'acord amb «el joc interpretatiu» que consisteix a sobreimposar «el segle xx autobiogràfic» de Villalonga al segle xix ficcional de la novel·la, Alegret conclou:

> Aquestes dades històriques de 1862 a 1866, corresponents al període de la novel·lesca militància del senyor de Bearn en la secta dels Rosa-Creu, són, dins el segle xix, les més adients per establir un paral·lelisme amb el període comprès entre 1936 i 1940, aproximadament, en què don Llorenç Villalonga devia sentir-se o veure's més implicat amb la *Falange Española* o amb el *Movimiento Nacional*. (1988, p. 60)

La militància Rosenkreuzer de Don Toni quedaria minimitzada per la seva brevetat, d'una banda, i, de l'altra, per l'escepticisme de la seva carta de ruptura, corroborat per un comentari del doctor Wassmann sobre el fragment que en llegeix a Joan Mayol: «es tracta de l'actitud d'un escèptic que rebutja tota responsabilitat i tota determinació: el que més es persegueix en el nostre credo» (p. 228).

La interpretació en clau biogràfica d'Alegret converteix *Bearn* en una novel·la d'autojustificació, que serviria a Villalonga per treure importància a la seva militància falangista durant els anys de la Guerra Civil i permetria deduir el seu retorn «a l'actitud lliberal de la [...] primera joventut» (1988, p. 61).[1]

A l'assaig de Castellanos recuperem la línia interpretativa que fa de *Bearn* una novel·la sobre la qual plana l'ombra de la Guerra Civil. Castellanos pensa que «la clau de l'obra» rau en «el xoc traumàtic» que la guerra hauria suposat per a Villalonga, evoca dos episodis de la seva militància falangista entre 1936 i 1939, i suggereix que aquests episodis, «ben filtrats i replantejats en termes estrictament literaris, es troben reflectits en el tema nuclear de la novel·la» (1995, p. 89). Castellanos no estableix cap correspondència directa entre els fets reals, històrics, i els fets de la ficció, però entén que aquells són determinants per considerar *Bearn* «una novel·la [...] a la recerca d'una justificació» (1995, p. 90). Tot seguit escriu:

> Per això [*Bearn*...] és confessió, una confessió sense penediment, per part del senyor i una confessió que emmascara la memòria directa dels fets i acaba propugnant l'oblit dels fets del passat, per part de Joan Mayol. Els dos, don Toni i Joan Mayol, per igual, són criatures de Villalonga: també a Joan Mayol, tot i que la crítica no ho ha acabat de veure, se li podria aplicar el famós *c'est moi*. (1995, p. 90)

Les lectures de *Bearn* que recorren a la Guerra Civil per construir-ne el sentit són vulnerables per una raó que, paradoxalment, els concedeix un cert avantatge: el silenci del text. La història de *Bearn* transcorre al segle XIX, i la narració té lloc el 1890. Per tant, no conté cap al·lusió explícita a la guerra. Aquestes lectures mai no es podran *verificar* plenament, és a dir, mai no abandonaran del tot el terreny de l'especulació, per altra part ben legítima. I això, en certa manera, les fa irrebatibles. Però només en certa manera: si ens hi fixem bé, *Be-*

1. Pere Rosselló Bover (1993b) també aposta per una lectura de *Bearn* en clau biogràfica i, d'una manera conseqüent amb la teoria que Don Toni és un *alter ego* de Villalonga, traça una sèrie de paral·lelismes entre autor i personatge que ara deixaré de banda. Pel que fa als contactes de Don Toni amb la maçoneria, Rosselló segueix la lectura d'Alegret.

arn ens convida a interrogar uns quants textos que podrien ser útils per construir-ne el sentit sense haver de recórrer a la biografia de Villalonga. D'ara endavant, la meva feina consistirà a llegir la novel·la a través del filtre que proporcionen alguns d'aquests textos.

A la carta de ruptura amb els Rosenkreuzer, Don Toni confessa que és un home «desil·lusionat». D'aquesta desil·lusió, Alegret en dedueix la desil·lusió de Villalonga amb el feixisme espanyol i el seu *retorn* al liberalisme. Publicat quan ja circulaven els estudis d'Alegret i Castellanos, el *Diario de guerra* (1997) de Villalonga confirma la seva desil·lusió amb la Falange, però per una causa que no té res a veure amb un possible *retorn* al liberalisme. Al contrari, la desil·lusió que traspua el *Diario* es deu a l'aburgesament del feixisme espanyol, a la seva pèrdua de zel revolucionari. El setembre de 1937, per exemple, Villalonga hi anota: «Yo he amado mucho a la Falange. Los escritos de José Antonio [...] me han seducido. Pero el Ausente no se halla ya entre nosostros y la Falange se aburguesa» (1997, p. 51). Una altra entrada del *Diario*, també de setembre de 1937, insisteix en l'aburgesament de la Falange i palesa la seva admiració, tenyida de nostàlgia, per l'esperit dels primers falangistes de Mallorca, responsables de la *pacificació* de Palma:

> La Falange se aburguesa— por lo menos en Mallorca. Se aburguesa hasta en la *tenu*. Ya se ven fascistas con vientre, desprestigiando el esbelto traje. Y si la figura no es joven (muchos de esos falangistas son tenderos que cenan dos veces), ¿qué diría del espíritu? Se han refugiado en la Falange como antaño en el datismo y más tarde en la España demócrata de Alcalá Zamora. No asimilaron ni una palabra de José Antonio, al que acatan únicamente por Ausente. Yo recuerdo los primeros falangistas de Mallorca. Por entonces sólo pensaba en casarme. Sin embargo, percibí el aliento místico que ahora parece esfumarse. Desde el manicomio, las noches que hacía mi guardia allí, les oía disparar contra los rojos. En cuatro días pacificaron Palma. Eran esbeltos, anónimos y oscuros, con una oscuridad resplandeciente. (1997, pp. 53-54)

Un any més tard, Villalonga constata la divisió ideològica dels republicans i la inestabilitat d'objectius que se'n deriva, i adverteix un fenomen semblant al bàndol franquista, on la Falange es veu abocada a una reconversió cap al «tradicionalismo» que no s'adiu amb la seva raó de ser:

> Los fascistas no se avienen con eso de que la Falange (sed de futuro, movimiento «cara al sol» como en Italia y Alemania) sea tradicionalista. Al principio del Movimiento nos decían que el Estado «no sería confesional» y ahora nos dicen que luchamos por Dios. Los carlistas siguen pensando en D. Carlos y los falangistas sueñan con un Hitler. Los de la Ceda —los pobres— quisieran un régimen liberaloide burgués que no gravara la propiedad; mejor dicho, que no obligara a los propietarios a aguzar el ingenio para hacer que la propiedad devenga productiva: que todo siga como hace diez años. (1997, p. 99)

Hi ha, efectivament, un Villalonga desil·lusionat amb la Falange, però no sembla pas que tingui ganes de tornar al liberalisme. És un Villalonga que, com altres falangistes d'aleshores, se sentia incòmode amb la dilució dels ideals de la Falange imposada per Franco. Per dir-ho com Josep Massot, és un Villalonga

> desenganyat de la marxa dels esdeveniments, enyorós de la Falange primitiva, encara no aburgesada, i extremament crític amb l'actuació de l'Església, que acusava de poc addicta al Movimiento i de còmplice, en certa manera, dels enemics «rojos». (1998, pp. 223-224)

El cicle històric

Fos quina fos la seva posició ideològica durant els anys de la guerra, la paraula «desil·lusionat» ens remet a dos dels tres textos que Ortega va incloure com a apèndixs en la primera edició d'*El tema de nuestro tiempo* (1923): «El ocaso de las revoluciones» i «Epílogo sobre el alma desilusionada».[2]

2. I a un assaig de Thomas de Quincey, compendi d'una obra anterior de Johann Gottlieb Buhle. Aquest assaig atribueix l'autoria dels tres textos

Ortega preveu que a Europa s'han acabat les revolucions i defineix la revolució com un estat d'esperit, però no pas un estat d'esperit que es dóna en qualsevol moment, sinó que és en si mateix un moment específic dels cicles històrics més coneguts (Grècia, Roma, Europa). De fet, aquest moment no coincideix amb una revolució, sinó amb tota una etapa revolucionària que pot durar dos o tres segles. D'una manera semblant a Spengler, Ortega reflexiona sobre el desenvolupament dels organismes històrics, en què distingeix «tres situaciones espirituales distintas» (1957e, p. 209) que, per fer-ho curt, equivalen a una etapa tradicionalista, una etapa racionalista i una etapa postracionalista o mística. A l'etapa inicial o tradicionalista, l'home forma part de l'existència col·lectiva i està mancat de personalitat pròpia, individual. El jo individual sorgeix quan l'home va separant-se d'aquesta existència, de la tradició, i es caracteritza per la seva hostilitat a l'ànima col·lectiva, per l'oposició a la tradició, per l'aspiració a produir «un pensamiento nuevo» (1957e, p. 213). L'home primitiu accepta sense qüestionar-lo el món rebut dels avantpassats. L'home que s'oposa a la tradició, que rebutja aquest món, ha de construir un món nou amb la raó.

---

fundacionals de la fraternitat dels Rosenkreuzer, publicats a principis del segle XVII, a Johannes Valentinus Andreae. Seguint Buhle, de Quincey escriu: «Encara que aleshores era molt jove, Andreä sabia que era impossible que homes de diferent caràcter i temperament cooperessin de manera regular en res tan desinteressat com l'elevació de la naturalesa humana; per tant s'hi va adreçar valent-se del punt feble habitual de l'època, prometent un coneixement ocult que atorgaria a la persona que el posseís autoritat sobre el poders de la naturalesa, li allargaria la vida o la trauria del fang de la pobresa i li proporcionaria riqueses i una bona posició social. A l'època de l'alquímia, la càbala i la teosofia, sabia que la gent estaria atenta a una informació de font desconeguda sobre una societat secreta que declarava ser la dipositària de misteris orientals i haver durat dos segles. Molts intentarien relacionar-se amb una societat així i, de mica en mica, entre aquests candidats triaria els membres de la societat de debò que planejava. Les pretensions de la societat imaginada eren, per descomptat, *il·lusions*, però abans que els nous prosèlits les poguessin identificar com a tals, es farien amb ell i esperava que adquirissin aspiracions més nobles» (2000, p. 19, la cursiva és meva) . L'«home desil·lusionat» també apareix a Nietzsche: «Parla l'*home desil·lusionat*. — Buscava grans homes. L'únic que he trobat són els antropoides del seu ideal» (1998a, p. 10).

El racionalisme és el moment concret de cada cicle històric en què s'activa el que Ortega anomena «el mecanismo revolucionario» (1957e, p. 215), ja que és ara quan les idees deixen d'estar al servei de les necessitats vitals, i la vida es posa al servei de les idees. Grècia, Roma i Europa haurien seguit aquest procés:

> Las leyes comienzan por ser efecto de necesidades y de fuerzas o combinaciones dinámicas, pero luego se convierten en expresión de ilusiones y deseos. ¿Han dado jamás las formas jurídicas la felicidad que de ellas se esperó? ¿Han resuelto alguna vez los problemas que las promovieron? (1957e, p. 220)

No, és clar. Per això l'etapa racionalista i revolucionària d'un organisme històric desemboca en la desil·lusió: «Al alma revolucionaria no ha sucedido nunca en la historia un alma reaccionaria, sino [...] un alma desilusionada» (1957e, p. 220), i després de l'ànima desil·lusionada arriba un altre tipus d'ànima: «Le precede [a l'ànima desil·lusionada] un alma racionalista, le sigue un alma mística, más exactamente, supersticiosa» (1957f, p. 228).

L'ànima tradicional recolza en la saviesa inqüestionada del passat. L'ànima racionalista destrueix la confiança en la tradició i es decanta per «la fe en la energía individual, de que es la razón momento sumo» (1957f, p. 228). Però l'ambició desmesurada del racionalisme, que «aspira a lo imposible», a substituir la realitat amb la idea (una tasca bella «por lo que tiene de eléctrica ilusión») (1957f, p. 229), l'aboca al fracàs. Aquest fracàs «deja tras de sí transformada la historia en un àrea de desilusión», que Ortega descriu així:

> Después de la derrota que sufre en su audaz intento idealista, el hombre queda completamente desmoralizado. Pierde toda fe espontánea, no cree en nada que sea una fuerza clara y disciplinada. Ni en la tradición ni en la razón, ni en la colectividad ni en el individuo. [...]. Física y mentalmente degenera. En estas épocas queda agostada la cosecha humana, la nación se despuebla. No tanto por hambre, peste u otros reveses, cuanto porque disminuye el poder genesíaco del hombre. Con

él mengua el coraje viril. Comienza el reinado de la cobardía —un fenómeno extraño que se produce lo mismo en Grecia que en Roma, y aún no ha sido justamente subrayado. (1957f, p. 229)

A les acaballes del cicle històric, un cop fracassat el projecte racionalista, la fe en l'energia individual i l'aspiració a l'impossible cedeixen el lloc a un clima moral més poruc i més tèrbol en què l'home es percep a si mateix com una joguina en mans de forces que no pot controlar:

> Se siente la vida como un terrible azar en que el hombre depende de voluntades misteriosas, latentes, que operan según los más pueriles caprichos. El alma envilecida no es capaz de ofrecer resistencia al destino, y busca en las prácticas supersticiosas los medios para sobornar esas voluntades ocultas. (1957f, p. 229)

L'ànima coratjosa, idealista, noble i, en definitiva, bella del racionalisme és substituïda per aquesta «alma envilecida» del final del cicle històric, que Ortega tracta amb un menyspreu evident:

> El alma supersticiosa es [...] el can que busca un amo. Ya nadie recuerda siquiera los gestos nobles del orgullo, y el imperativo de libertad, que resonó durante centurias, no hallaría la menor comprensión. Al contrario, el hombre siente un increíble afán de servidumbre. Quiere servir ante todo: a otro hombre, a un emperador, a un brujo, a un ídolo. Cualquier cosa, antes que sentir el terror de afrontar solitario [...] los embates de la existencia. (1957f, pp. 229-230)

Per això potser «el nombre que mejor cuadra al espíritu que se inicia tras el ocaso de las revoluciones sea el de espíritu servil» (1957f, p. 230).

L'univers de *Bearn* abasta les tres etapes del cicle històric descrit per Ortega: algun avantpassat de Don Toni, Don Andreu —el Vicari de Bearn—, i els criats de la casa, que hi tenen un paper molt menor, pertanyen a l'ànima col·lectiva, adherida al passat, és a dir, personifiquen l'etapa tradicionalista;

Don Toni personifica l'etapa racionalista i la zona de desil·lusió on desemboca el somni desmesurat i el fracàs de la raó, mentre que Joan Mayol personifica l'etapa postracionalista o mística que tanca el cicle. Dit d'una altra manera: Don Toni és l'ànima bella, fàustica, idealista, noble, del racionalisme, i també l'home desil·lusionat i escèptic, mentre que Joan Mayol és l'ànima envilida, servil, incapaç d'afrontar tota sola el seu destí, que es refugia en les pràctiques supersticioses: la religió catòlica.[3] Sense el filtre de la concepció orteguiana dels cicles històrics, el sentit d'una sèrie de característiques i gestos de Don Toni i Joan Mayol resulta borrós, desenfocat, a vegades fins i tot imperceptible. Vegem, doncs, de quina manera Villalonga ficcionalitza les idees del filòsof.

L'HOME RACIONALISTA I L'HOME FÀUSTIC

Al començament de la novel·la, Joan Mayol informa que Don Toni «posseïa una ànima generosa, confiada i oberta» (p. 16) i que «va sortir afrancesat», marcant així la distància que el separa dels seus avantpassats no gaire llunyans, entre els quals hi ha un rebesavi que «fou un esperit primitiu» de qui s'expliquen «moltes malifetes» (p. 21), reals o ficticies. Don Toni és un lector voraç, un home àvid de coneixements, un il·lustrat, un racionalista: la versió villalonguiana d'un *phi-*

3. Per a Spengler, «[l]a historia propiamente tal comienza con la formación de las dos *clases primarias*, nobleza y sacerdocio, que se eleva sobre la clase aldeana. [...]. Más tarde el estilo de la historia se convierte en el de la ciudad, en el de la *burguesía o tercer estado*. Y todo el sentido de la historia se concentra exclusivamente en estas tres clases, en la conciencia de estas tres clases» (1998, vol. 2, p. 154). Dona Magdalena i els seus dos germans solters, nebots dels senyors de Bearn, viuen a Ciutat, i, en el pensament de Spengler, «[l]a ciudad significa no solo espíritu, sino también dinero» (1998, vol. 2, p. 156). En tornar d'Itàlia, els Bearn i Joan Mayol passen per casa seva i a Joan Mayol el sorprèn el seu nivell de vida: «vivien molt bé i [...] el menjador on ens serviren la xocolata era ple de plata. Dona Magdalena anava molt elegant, tal volta una mica exagerada; malgrat el dol (encara no feia tres anys que havia perdut l'espòs) sols parlava d'òperes i d'aristocràcia» (p. 175). Els germans de Dona Magdalena són «empleats del Banc Agrícola» (p. 176).

losophe: «Pertanyia, per la seva formació, al segle devuit i no sabia prescindir de la *Raison*, encara que [...] posseïa un fons poètic i àdhuc contradictori» (p. 24).

El racionalisme d'aquest home d'«idees avançades» (p. 34), autor d'assaigs, narracions i, sobretot, unes *Memòries*, que sap crear un «ambient de llibertat i cortesia» (p. 24) al seu voltant, és un dels motius recurrents de la novel·la. Ell mateix l'afirma en comunicar al Papa Lleó XIII un pensament que després reproduirà a les *Memòries*: «La Fe ens condueix a la Veritat o a l'Error, mentre que la Raó sols ens condueix a la Veritat» (p. 174). Joan Mayol el reafirma quan s'imagina quina hauria estat la reacció de Don Toni al «separatisme cubà» emergent en iniciar-se l'última dècada del segle XIX:

> Si el senyor tengués vida per a llegir aquestes ratlles, diria que el problema acabarà amb la pèrdua de les colònies i, a més, que això estarà dins l'ordre natural i de la lògica evolució del temps. Fins a tal punt era racionalista, que tot quant s'englobava dins un sistema general, li semblava, en principi, acceptable i equitatiu. (p. 181)

Don Toni és un home d'«hàbits setcentistes» (p. 116), a qui «succeïa el mateix que al segle XVIII: era massa lúcid per a semblar líric, però el lirisme es trobava dins ell com es troba dins la música de Rameau» (p. 161), que es veu a si mateix com «un véi enciclopedista» (p. 190) —la seva biblioteca personal acreditaria aquest enciclopedisme (p. 55)— i als ulls de Joan Mayol apareixerà com un «*éclairé*, que no retrocedia davant cap audàcia mental» (p. 233). L'audàcia mental no li impedeix de ser conscient, com Diderot, de la feblesa de la raó i de la necessitat de reforçar-la. Joan Mayol recorda haver-li sentit dir: «Reconec [...] que sa raó és un llum molt dèbil: això no ha d'esser motiu per voler-lo apagar, sinó per ationar-lo» (p. 24). Més endavant, aclarirà que Don Toni «havia fet seva la frase de Diderot: 'La Raó és un llum molt dèbil: ve un nigromant i el m'apaga» (p. 188).

El vincle de Don Toni amb el segle de les llums encara resulta més transparent si pensem que prefereix llegir els clàssics francesos, sobretot el *Candide*, que els poetes de l'antiguitat, té «tantes arrugues [a la cara] com Voltaire» (p. 54), «els ulls petits i vius, voltats d'arrugues, com el Voltaire d'Houdon» (p. 88) i en una ocasió mira Xima, la seva neboda, «amb el mateix somriure que Houdon atribueix a Voltaire» (p. 96). A més, porta una perruca Lluís XV amb l'excusa que no vol passar fred al cap a causa de la calvície, tot i que Joan Mayol apunta que «per a ell aquella perruca devia simbolitzar la cultura devuitesca, d'aparença frívola i en realitat exuberant de forces latents» (p. 72).[4] En un altre indret, el sacerdot recalca el seu tarannà contradictori d'home escèptic que confia en la raó com a únic baluard contra l'envestida del temps: «Ell, l'escèptic, creia en *'la Raison'*, i sols en *'la Raison'* se sentia segur de fer peu i de no esser arrossegat pel fluir del temps» (p. 58).

Don Toni disposa d'«un petit laboratori on [fa] anàlisis i [destil·la] sucs» (p. 73), és l'inventor d'un *auto-mobile* i aprofita un viatge a París amb Dona Maria Antònia i Joan Mayol per provar el globus aerostàtic dels germans Tissandier. L'aventura i la fugida a París amb Xima, que és molt més jove que ell, i les seves activitats científiques el converteixen en una encarnació de l'«esperit fàustic» (p. 153).

Benet i Jornet (1975) ha analitzat els elements del poema de Goethe que Villalonga incorpora a *Bearn*. Al meu entendre, aquests elements complementen el perfil fàustic d'un Don Toni que personifica l'ambició desmesurada (fàustica) de l'etapa racionalista del cicle històric orteguià. Per altra part, si bé és cert que l'aspiració a l'impossible del racionalisme confereix a Don Toni el perfil de Faust, també ho és que es tracta d'un Faust que comprèn «que l'eternitat no s'aconsegueix venent l'ànima al Dimoni, sinó detenint el temps» (p. 97), és a dir, d'un Faust amb les dues característiques que li atribueix Spengler.

4. Ortega qualifica el segle XVIII de «siglo *vieillot* por excelencia»: «Es el siglo de entusiasmo por los decrépitos, que se estremece al paso de Voltaire, cadáver viviente que pasa sonriendo a sí mismo en la sonrisa innumerable de sus arrugas. Para extremar tal estilo de vida se finge en la cabeza la nieve de la edad y la peluca empolvada cubre toda frente primaveral —hombre o mujer— con una suposición de sesenta años» (1957g, p. 467).

Segons Spengler, «Fausto es el retrato de toda una cultura» (1998, vol. 1, p. 210), la cultura occidental, que, com totes les cultures, és un organisme que «pasa por los mismos estadios que el individuo. Tiene su niñez, su juventud, su virilidad, su vejez» (1998, vol. 1, p. 219). El Faust spenglerià té dues característiques principals. Primer, la voluntat de dominar el món, d'apropiar-se dels secrets de la naturalesa, d'usurpar la posició de déu. «Toda nuestra cultura tiene alma de inventor» (1998, vol. 2, p. 770), i Faust és «[el] símbolo magno de una auténtica cultura de inventores» (1998, vol. 2, p. 771). Els inventors fàustics «[e]spiaron las leyes del ritmo cósmico para violentarlas, y crearon así la *idea de la máquina* como pequeño cosmos que solo obedece a la voluntad del hombre» (1998, vol. 2, p. 771). La màquina serveix a l'inventor fàustic per dominar la naturalesa, però per a la gent de fe «es cosa del diablo» (1998, vol. 2, p. 772). El somni de l'inventor fàustic consisteix a «[c]onstruir un mundo, ser Dios», i aquest somni genera «todos los bosquejos de máquinas, que se [acercan] lo más posible al fin inaccesible del *perpetuum mobile*» (1967, p. 57). Per a la gent que no posseeix aquesta voluntat de poder, l'home fàustic en un ésser diabòlic:

> los que no estaban poseídos por esa voluntad de omnipotencia, superior a la naturaleza, habían de sentirla como algo diabólico; y, en efecto, siempre se ha sentido la máquina como invención del diablo, y se la ha temido. Con Roger Bacon comienza la larga serie de los que fueron considerados como mágicos y heréticos. (Spengler 1967, p. 57)

Però no és pas la gent de fe, la gent sense voluntat de poder, que derrotarà l'inventor fàustic. És la màquina, la seva pròpia creació:

> el hombre fáustico se ha convertido en *esclavo de su creación*. Su número y la disposición de su vida quedan incluidos por la máquina en una trayectoria donde no hay descanso ni posibilidad de retroceso. (1998, vol. 2, p. 774)

Toda gran cultura es una tragedia. La historia del hombre *en conjunto*, es trágica.[5] Pero el delirio y la caída del hombre fáustico es más grande que todo cuanto Esquilo y Shakespeare hayan contemplado jamás. La creación se subleva contra el creador. Así como antaño el microcosmos-hombre se sublevó contra la naturaleza, así ahora el microcosmos-máquina se subleva contra el hombre nórdico. El señor del mundo tórnase esclavo de la máquina. La máquina le constriñe, nos constriñe a todos sin excepción, sepámoslo y querámoslo o no, en la dirección de su trayectoria. El victorioso despeñado es pisoteado a muerte bajo el galope de los caballos. (1967, p. 60)

La idea que la màquina, creada per l'home amb el propòsit de dominar la naturalesa, acabarà esclavitzant el seu creador s'inscriu a la novel·la a través de l'exclamació d'impotència de Don Toni quan ell i Dona Maria Antònia corren per la sala de la possessió en l'*auto-mobile*, un moment abans de xocar amb la foganya: «No el puc aturar!» (p. 112)

Entre els bearnesos humils, Don Toni té fama de tractar amb el dimoni: «Sempre he sentit dir que qui té llum encès a mitjanit és que crida el Dimoni» (p. 54), diu una vella del poble. «Invoca el Dimoni» (p. 187), suggereix algú després de la mort de madò Coloma. Quan Joan Mayol espia la conversa entre Don Toni i el Vicari sobre el retorn a Bearn de Xima, li sembla que el seu «protector» «[j]a no [és] el Faust *demoníac* que ambiciona de robar terres a la mar i conquistar al·lotes, sinó el poeta que recorda...» (p. 79, la cursiva és meva). A més de fama de dimoni, Don Toni té fama de bruixot. En recordar «la seva erudició» i les seves «intuïcions genials», el mateix Joan Mayol confessa que «aquell ésser raonable, escèptic, abúlic i indiferent semblava tenir [...] quelcom de bruixot» (p. 25). A Bearn, les «males llengües» li atribueixen el poder d'embruixar Na Bàrbara Titana, «una al·lota primatxola, cuita i mig folla» (p. 70), i els bearnesos que el veuen posar en

5. La vida dels Bearn acaba en «tragèdia» (p. 113). A Joan Mayol li «[r]esultava clar que vivint tan bé, a la força ens esperava quelcom de terrible. Si no succeïa espontàniament, nosaltres mateixos organitzaríem la tragèdia. ¿Com ens arribaria, l'infortuni?» (p. 198). Més endavant es refereix al final de la vida dels Bearn com a «infortuni» (p. 208) i «fatalitat» (p. 217).

marxa l'*auto-mobile* i fer-lo córrer pel pati de la possessió n'escamparan la notícia i de passada contribuiran a augmentar la seva fama d'ésser diabòlic. És una fama perillosa. Sobre els invents de la ciència, Joan Mayol puntualitza:

> Són invents naturals que no tenen res de diabòlic i que estan transformant la vida moderna. Anau, però, a explicar aquestes coses dins un llogaret com Bearn i, sobretot, com el Bearn de fa un quart de segle. Valgui que el senyor no sortia de les seves terres, perquè si hagués anat sovint pel poble no sé què hauria arribat a succeir. No vull significar amb això que no el respectassin, però li havien cobrat por i la por fa cometre desbarats. (p. 74)

Però a vegades fins i tot el sacerdot sembla donar crèdit a les enraonies dels bearnesos ignorants:

> El senyor li acariciava [a Xima] els cabells. Ara sí que pareixia un bruixot vaticinant la incògnita del Temps. (p. 95)

> Somniava en veu alta, com una sibil·la. Veient-lo en aquella actitud tan estranya en ell, jo no podia deixar de recordar els rumors que circulaven respecte a la seva bruixeria. (p. 97)

Essent ja gran, quan aprèn que l'eternitat s'aconsegueix aturant el temps més que no pas seduint noies joves o inventant artefactes diabòlics, Don Toni escriu les *Memòries*, una tasca que confirma el seu perfil d'home fàustic en el sentit spenglerià de la paraula:

> fáustica es una existencia conducida con plena conciencia, una vida que se ve vivir a sí misma, una cultura eminentemente personal de las memorias, de las reflexiones, de las perspectivas y retrospecciones, de la conciencia moral. (1998, vol. 1, p. 332)

Don Toni és un home intel·ligent i bondadós. Però, des de la perspectiva de Joan Mayol, «[la] intel·ligència i [la] bondat li han servit també per caure en heretgies» (p. 101), heretgies que el situarien dins una tradició heterodoxa, dins «la larga serie de los que fueron considerados como mágicos y heréticos», que s'inicia amb Roger Bacon.

És en virtut de la seva intel·ligència, del seu racionalisme, que Don Toni contrasta amb Dona Maria Antònia i Joan Mayol. En el context d'una conversa sobre el seu viatge a Roma, Don Toni, adreçant-se a la seva dona i al sacerdot, distingeix entre dos credos: «A voltros vos convé principalment resar, perquè es vostro Credo és més bé d'orde màgic, mentre que es meu, encara que dins s'ortodòxia [...], és més racional» (p. 165).[6] El contrast entre aquests dos credos condiciona la decisió de Dona Maria Antònia de no assistir a l'audiència amb el Papa, ja que «[desaprova] el racionalisme de l'espòs» (p. 168), que és una de les característiques més prominents de la seva personalitat. Una altra seria la «desil·lusió» de l'home «decantat pels anys ja feia estona de tantes coses» (p. 17), de l'home que «amb els anys evolucionava cap a un perniciós escepticisme socràtic» (p. 56), una evolució sobre la qual Spengler projecta una llum considerable:

> La «Ilustración» arranca siempre de un optimismo ilimitado, de una fe extremada en el entendimiento, que siempre alienta en el tipo del hombre de la gran urbe; pero pronto se cambia en escepticismo absoluto. (1998, vol. 2, p. 480)

(Don Toni no seria un home de la gran ciutat, sinó un representant de «la nobleza rural», la forma més elevada de «la vida agrícola» [1998, vol. 1, p. 79].)

També és en virtut del racionalisme i la seva aspiració a

6. A propòsit de l'última visita de Xima a Bearn, Joan Mayol rumia que Don Toni «[h]avia passat la vida tractant d'eliminar tot element meravellós de la seva existència i ara la part meravellosa es venjava presentant un desenllaç que ell ja no podia entendre» (p. 209). La confiança i el racionalisme que elimina l'«element meravellós» de la vida són característiques de l'«home clàssic» de Worringer comentades per Ortega: «La postura del hombre clásico ante el mundo tiene [...] que ser de confianza. El griego racionaliza al mundo, le hace antropomorfo, semejante a sí mismo. [...]. / [Worringer] caracteriza [...] al hombre clásico por el racionalismo, por la falta de sensibilidad y de interés para ese 'más allá', que limita la porción del mundo acotada por nuestra razón» (1957h, p. 197).

l'impossible que la vida de Don Toni és una vida imperfecta però bella. Així li ho manifestarà Joan Mayol quan sigui a punt de morir: «S'existència de Vossa Mercè ha estat bella, malgrat es seus errors» (p. 222).

El senyor de Bearn no té descendència. «Don Toni no tenia successió, o almenys no en tenia de reconeguda» (pp. 57-58), matisa Joan Mayol, que reproduirà una conversa en què Dona Maria Antònia li va confiar la seva intenció de tenir-ne:

> Prop de Roma, hi ha un santuari amb una Mare de Déu que si l'adores et concedeix descendència... Hi anàrem, però no hem tengut fiis, perquè se veu que no convenia. Si havien de néixer idiotes o beneits ha estat millor així. (p. 187)

Els Bearn són cosins, i ella sap que «a força de casar-se cosins de vegades es fiis surten beneits o *locos*...» (p. 186). Així doncs, Don Toni, que a causa del seu racionalisme «no sentia com a tragèdia ni la ruïna de la casa ni la manca de descendència» (p. 182), és el «darrer Bearn de la seva branca» (p. 183), i la seva mort implica que «desapareix tot un món» (p. 17). Si acceptem que personifica l'etapa racionalista i la zona de desil·lusió del cicle històric orteguià, la seva falta de successió s'ha de llegir com una referència inequívoca a l'agostejament de «la cosecha humana», a la disminució «[d]el poder genesíaco del hombre» que es produeix després de la derrota del projecte racionalista i que a la novel·la afecta tots els membres d'aquesta «branca» de la família: Xima morirà sense tenir fills (p. 219); «el [Bearn] de Mèxic no té successió i els germans de Dona Magdalena [neboda dels senyors de Bearn] no duen camí de casar-se» (p. 183), i Joan Mayol, fill il·legítim de Don Toni, no està disposat a trencar el seu vot de castedat. Com veurem més endavant, Villalonga desplaça la degeneració física i mental de l'home racionalista derrotat cap a Dona Maria Antònia, que en els últims anys de la seva vida perdrà la memòria. I la idea del despoblament de la nació («la nación se despuebla») informa el motiu recurrent de la garriga que envaeix el jardí de la possessió:

> Jo esperava la senyora vora la xemeneia del saló, que és [...] una peça molt espaiosa amb dos balcons sobre el jardí més descuidat i més patètic que pugui esser imaginat; un gran jardí robat cent anys enrera a la garriga i que ja en feia prop de trenta que es convertia altra volta en garriga. Mates, alzines i ullastres anaven ofegant els rosers i les dàlies ciutadanes. Els baladres salvatges resistien i arboraven ardidament els seus ramells verinosos, com certs infants xerecs, criats a cops. (p. 184)

> Érem al jardí que s'anava convertint en garriga. (p. 193)

> Al mateix temps, pels balcons, proveïts de vidrieres, es contempla el jardí que s'està convertint en garriga i es veu ploure a dos pams de distància [...]. (p. 195)

> El capvespre era molt bell. Des de la meva finestra el jardí que s'anava convertint en garriga anunciava una pròxima primavera. (p. 216)

L'ànima envilida

Quan escriu la seva llarga carta, Joan Mayol té «trenta-vuit anys» (p. 22). És un home d'origen humil i obscur, «fill d'un jornaler i d'una collidora» (p. 22), que «no [ha] conegut pares ni germans» (p. 16) i a cap edat (set anys) va començar «a guardar porcs» (p. 22), destí que va poder evitar gràcies a la decisió de Don Toni d'enviar-lo a una escola de Palma. Com el racionalisme de Don Toni o la garriga que envaeix el jardí de Bearn, el seu origen i la seva condició són un altre motiu recurrent de la novel·la.

Joan Mayol es defineix com «[un] pobre capellà sense més benefici que la missa» (p. 17), com «un pobre sacerdot de poble que no ha volgut mancar mai als seus vots» (p. 24) i que si ha llegit l'obra de Racine o de Molière és perquè Don Toni li va ensenyar francès. Quan era un adolescent de quinze anys, el senyor de Bearn «[li] presentà En Jaume i [l']avisà que l'havia de tractar com a un germà petit» (p. 30), probablement perquè ho era. Anys més tard, el sacerdot atribuirà part de l'antipatia que va sentir per aquest nen intel·ligent, sensible, que temia les bèsties i no sabia nedar ni tirar pedres, a «la gelosia que la presència d'un intrús inspira sempre a les persones de la meva condició» (p. 31), una condició que per a Don Toni no hauria de ser motiu de tristesa: «No t'entristesquis [...] de pertànyer a una família humil» (p. 66). El Joan Mayol adult es recorda llegint «a trenc d'alba», un dia de 1883, les *Èglogues* de Virgili i es compara a Melibeu, «jove i desventurat com jo» (p. 125), al·ludeix al «pagès que [impera] en mi, violent i aferrat als béns materials» (p. 90), a qui els emissaris de Bismarck prendran «per un pagès avar» (p. 229), es considera un «[fill] del poble» (p. 92) que «de nin [va ser tancat] a un seminari» (p. 200), i insisteix que és «un pobre sacerdot criat entre muntanyes» (p. 133), «un pobre capellà de poble» (p. 143) que pràcticament no ha sortit mai de Bearn (pp. 113-114, 131, 168) i desconeix «[el] món i les seves vanitats» (p. 132), un «primitiu» (p. 182) que «h[a] estat porquer de la casa» (p. 213), i un «pagès inexpert» (p. 230) que tanmateix no perd el control davant els emissaris de Bismarck, un pagès fort i bell, però amb una bellesa que «no passa d'esser la d'un missatge o d'un carreter», semblant a la d'altres «pagesos amb els ulls negres, els cabells arrissats i l'aire salvatge que [el] caracteritza» (p. 231).

L'origen de Joan Mayol és obscur no sols perquè no ha conegut mai la seva família, sinó també perquè deixa entendre que és fill il·legítim de Don Toni. Sens dubte, les seves «circumstàncies personalíssimes», que mai no s'acaben d'explicitar, tenen a veure amb aquest origen obscur, objecte d'especulació entre els bearnesos i potser entre els companys de Seminari, com sap molt bé el receptor de la seva carta: «Tu no ignores les coses que s'han dit entorn del meu naixement» (p. 72). Aquestes «coses» explicarien l'actitud distant, desdenyosa, de Dona Maria Antònia envers Joan Mayol, que constata «la seva serena bondat, no sempre efusiva respecte de mi» (p. 27), «el menyspreu que hagi pogut demostrar-me durant un cert temps» (p. 59), «[l]a prevenció mig amagada que em tenia antany» (p. 185), o «l'absència d'afecte (després de tot, ben natural) amb què durant algun temps m'havia tractat»

(p. 194). La «prevenció» de Dona Maria Antònia provocarà una «frase inconvenient» (p. 185) i prou reveladora del sacerdot: «En certa manera jo som una ofensa per a Vossa Mercè» (pp. 149, 185).

La falta de bondat de Dona Maria Antònia (una persona essencialment bona) amb Joan Mayol, que el temps atenuarà («a mesura que passaven els anys, es mostrava més bondadosa amb mi» [p. 116]), i el fet que ella mateixa reconegui que el sacerdot és qui millor coneix el seu marit («Jo l'he tractat més anys i més de prop. Però tu...» [p. 148]) avalen la hipòtesi que és fill il·legítim de Don Toni. També l'avala la curiositat del Joan Mayol seminarista pels comentaris «que el meu protector pagava estudis a alguns al·lots, sense que jo en pogués endevinar els motius» (p. 30), quan ja ens hem assabentat que va estudiar al col·legi palmesà dels Ligorins per disposició de Don Toni, evitant així la feina de porquerol. A més, convé no oblidar que, de jove, Joan Mayol és un «al·lot acollit a la [...] benevolença» (p. 34) de Don Toni, i que més tard escriurà que «no reconèixer els fills il·legítims fou un acte de crueltat i de sobergueria inexplicables» en un home tan bondadós, si bé ell es creu «el menys indicat per a jutjar la seva conducta» (p. 58) en aquest punt. Tampoc no convé oblidar el silenci de Don Toni sobre algun episodi del seu passat que podria tenir relació amb Joan Mayol («[f]a anys, una nit així...» [p. 36]), o el de Dona Maria Antònia sobre la infantesa del sacerdot («[a]nava a parlar de la meva infantesa, però l'instint la va detenir» [p. 186]). Significativament, a Dona Maria Antònia els ulls de l'infant Joan Mayol li recorden algú, però no pot precisar qui (p. 22). Potser li recorden Xima: «[a]nys més tard [...] [quan] començava a perdre facultats, a declinar, m'assegurà que [Xima] m'assemblava a mi» (p. 87). Potser Don Toni també hi pensa, en Xima, quan diu a Joan Mayol: «No obris aquests ulls. Mai diries a qui t'assembles» (p. 146). Ell no gosa demanar-li-ho, com no gosarà demanar-li mai res sobre la seva mare, que devia ser una de les «[a]l·lotes honestes, que no haurien claudicat amb joves dels seus anys» (pp. 123-124) i en canvi «claudicaven» amb Don Toni, un pensament que l'enfurisma:

> Quan pens en aquelles desventurades (en una especialment, que no he arribat a conèixer mai), la sang em bull i sovint he sentit l'impuls de venjar-les, recordant l'afirmació pagana de Sèneca que la misericòrdia és una debilitat del cor. (p. 124)

També és significatiu que un dia que gosa «confessar aquestes coses» (p. 124) a Don Toni d'una manera injuriosa, aquest reaccioni recomanant-li la lectura de «Le serrement de mains» de José María de Heredia, i que a vegades Don Toni se li adreci com a «fii meu» (pp. 37, 57, 71, 200, 217, 221), fórmula que aniria més enllà del simple afecte si entenem que hi ha un desacord entre el seu llenguatge verbal i el seu llenguatge gestual quan li encarrega la publicació de les *Memòries*:

> Alerta, fii meu, en corregir-les. Pensa que no som un erudit ni un escriptor en so sentit estricte de sa paraula, sinó un homo que no ha tengut fiis —en dir això em va estrènyer el braç amb tendresa— i que desitjaria sobreviure algun temps perpetuant tot quant ha estimat. (p. 221)

La hipòtesi que Joan Mayol és fill il·legítim de Don Toni es basa en una sèrie d'al·lusions més o menys velades, enraonies, frases incompletes i sobreentesos. La novel·la no es pronuncia categòricament sobre la seva filiació. Johnson argüeix que una de les causes de la famosa ambigüitat villalonguiana és l'«absència d'especificitat textual» que, en el cas de *Bearn*, es faria palesa en «les circumstàncies en què es mor don Toni» i «la filiació de Joan Mayol» (2002, p. 20). Johnson inclou *Bearn* entre les novel·les de Villalonga en què l'ambigüitat i l'ambivalència serien «conceptes estructurants» (2002, p. 23)[7] i afirma que

> L'eix ambigu de *Bearn o la sala de les nines*, projectat sobre el rerefons d'una família de la noblesa rural en decadència (i d'una Europa no menys decadent), és la identitat de Joan Ma-

7. La idea ja és a Albertocchi: «L'ambigüitat o ambivalència és l'eix al voltant del qual gira la novel·la. S'estén, com una font d'energia, sobre personatges i sentiments, que resulten ambigus perquè estan basats en l'equilibri de forces complementàries» (1989, p. 13).

> yol, orfe, fill adoptiu de don Toni i dona Maria Antònia de Bearn, seminarista i després capellà de la casa i confés de dona Maria Antònia, la qual no pot tenir fills. (2002, p. 21)

Johnson reconeix que «[e]ls indicis textuals semblen confirmar que Joan Mayol és [...] fill il·legítim de don Toni de Bearn» (2002, p. 29). Però, després de sospesar-ho, opina que «[l]es claus textuals adduïdes per establir la relació filial del capellà amb don Toni no són tan clares [...] si les mirem en conjunt», i basteix la seva interpretació a partir de la dicotomia «[o] Joan és fill de don Toni, o no ho és» (2002, p. 35): l'eix ambigu de la novel·la. Segons aquesta interpretació, la raó de ser de les *Memòries* de Don Toni estaria relacionada amb «la producció d'un altre jo que sobrevisqui al moment històric en què es van concebre, un jo per a la posteritat», però sobretot amb «la implícita necessitat de crear [...] una distracció textual» (2002, p. 36) que amagaria i al mateix temps revelaria «el suïcidi col·lectiu de la casa de Bearn, desenllaç en què s'hi entén don Toni, i que en gran part dirigeix» (2002, p. 37). La falta de successió legítima de Don Toni «estimula la dinàmica de la novel·la» i la llegenda de l'escut dels Bearn («[a]bans morir que mesclar la sang») explica «tangencialment» (2002, p. 40) que Don Toni no legitimi Joan Mayol. En mesclar la sang, és a dir, en tenir fills il·legítims, Don Toni hauria transgredit la llei pairal i la seva acció de prendre un dels bombons enverinats de Xima es podria llegir com un acte «penitencial» (2002, p. 41). Dona Maria Antònia seria estèril en sentit literal, però l'esterilitat també afectaria Joan Mayol, ja que «en fer-se capellà es nega la successió [...] amb la complicitat de don Toni» (2002, p. 42). La participació, deliberada o no, del futur sacerdot en la mort d'En Jaume seria «un altre signe del procés esterilitzador, de l'extinció o desaparició fortuïta de la descendència de Bearn» (2002, p. 42), perquè En Jaume també devia ser fill de Don Toni. Johnson creu que la lentitud de Joan Mayol a l'hora de llençar els bombons enverinats contribueix a la mort dels senyors, i arriba a la conclusió següent:

> Així, partint d'un primer acte o actes transgressius —la contaminació de la sang de Bearn—, *Bearn o la sala de les nines* és la història del secret de la identitat de Joan. La resposta penitencial a aquest secret començà a preparar-se molt aviat: en primer lloc, amb l'adopció i educació de Joan; després, amb la reconciliació de dona Maria Antònia i don Toni; i [...] culmina simbòlicament amb la mort pacífica de l'una i l'enigmàtic suïcidi de l'altre després de la disbauxa de Carnaval. A *Bearn* es troba dibuixat tot un procés reparador, entre artifici i accident, que depura i posa fi a la casa de Bearn: es tracta, al final, de tallar una branca mòrbida. (2002, pp. 42-43)

Aquesta interpretació és discutible perquè, com veurem més endavant, tant l'ambigüitat de la filiació de Joan Mayol com l'enigma del suïcidi de Don Toni es poden resoldre per la via intertextual. L'eix ambigu de Bearn no existeix, o només existeix en la mesura en què renunciem a contrarestar l'«absència d'especificitat textual» amb l'ajuda d'altres textos. Encara que la novel·la no es pronunciï categòricament sobre la qüestió, Joan Mayol *és* fill il·legítim de Don Toni, i no pas d'una manera anecdòtica. Al contrari, la il·legitimitat constitueix un element essencial de la seva funció al·legòrica.

Joan Mayol comparteix l'origen humil i la necessitat de posar-hi èmfasi amb un col·lega seu: el narrador del *Journal d'un curé de campagne* (1936), de Georges Bernanos. El *curé* de Bernanos es veu a si mateix com un home que desconeix el valor dels diners (a l'inrevés del sacerdot de *Bearn*, que porta l'economia dels senyors amb tota l'eficàcia que li permet la liberalitat d'un Don Toni «tan esburbat [...] en matèries econòmiques» [p. 17]) a causa del seu origen: «Una criatura pobra que, a dotze anys, passa d'una casa miserable al Seminari, mai no sabrà el valor dels diners» (1987, p. 34). Aquest seminarista de dotze anys és «fill de pagesos» (p. 49), d'uns pagesos molt pobres, com enregistrarà repetidament al seu *journal*:

> Però jo vinc d'una estirp molt pobra, escaraders, manobres, criades del camp, ens falta el sentit de la propietat, sens dubte l'hem perdut al llarg dels segles. (p. 61)

> Però, en aquest aspecte, com en tants d'altres, segueixo essent el fill de gent molt pobra que mai no ha conegut la mena d'enveja, de rancúnia del propietari rural que es deixa la vida lluitant amb una terra ingrata, envers la persona desvagada que, de la mateixa terra, només en treu ingressos. (pp. 62-63)
>
> És cert que, a causa de la modèstia extrema del meu origen, la meva infantesa miserable, desemparada, la desproporció [...] entre una educació desatesa, fins i tot grossera, i una certa sensibilitat de la intel·ligència, que em fa endevinar moltes coses, formo part d'una classe d'homes naturalment poc disciplinats dels quals els meus superiors tenen raó de malfiarse. Què hauria estat de mi si... El meu parer sobre el que s'anomena la societat és, per altra part, molt obscur. Encara que sigui fill d'una pobra gent —o per això mateix, qui ho sap?...— només comprenc realment la superioritat de la raça, de la sang. (p. 98)
>
> Jo només sóc un pobre pagès, he passat dos anys de la meva joventut en una fonda de mala mort on ni tan sols hi hauríeu volgut posar els peus [...]. (p. 157).
>
> Com? Falten sacerdots. Qui en té la culpa? Els individus escollits, com diuen, se'n van amb els frares, i és als pobres pagesos com jo que els toca la càrrega de tres parròquies! (p. 219)
>
> [A] un pagès com jo, res no li traurà del cap que el militar sempre té gana i set . (p. 254)
>
> Les famílies com la meva no tenen història. (p. 284)

En escriure el seu *journal*, el sacerdot de Bernanos té presents la misèria i la soledat de la seva infantesa i dels anys adolescents: «El record de la meva infantesa miserable és massa a prop, el sento» (p. 166); «En un segon, he vist la meva trista adolescència [...]. No he estat mai jove, perquè no he gosat» (p. 251); «No he estat mai jove perquè ningú no ha volgut ser-ho amb mi» (p. 252). També té present la seva condició de pobre home («un pobre home com jo [...]» [p. 203]) i, sobretot, de pobre sacerdot: «Només sóc un pobre sacerdot molt indigne i molt desgraciat» (p. 162); «un sacerdot insignificant i desgraciat com jo [...]» (p. 171); «I un pobre sacerdot insignificant que sóc [...]» (p. 201); «Sóc un sacerdot insignificant i desgraciat que només demana passar desapercebut» (p. 219); «No tinc pas el dret de parlar amb llibertat de l'honor segons el món, no és pas un tema de conversa per un pobre sacerdot com jo [...]» (p. 241); «La vida d'un pobre sacerdot com jo no importa a ningú» (p. 287).[8]

Un origen humil és el que pertoca a l'ànima envilida, supersticiosa, *servil*, de criat, de les acaballes del cicle històric, que coincideix amb la davallada del coratge viril, amb «el reinado de la cobardía». Joan Mayol és l'ànima envilida perquè és un sacerdot: un individu que «busca en las prácticas supersticiosas los medios para sobornar [las] voluntades ocultas». A més de ser l'ànima envilida, supersticiosa, és l'ànima servil, «el can que busca un amo», que es distingeix pel seu «increíble afán de servidumbre», per l'afany de «servir [...] a otro hombre, a un emperador, a un brujo, a un ídolo» per tal de no haver d'afrontar sol «los embates de la existencia»: serveix un ídol (el déu cristià) i un home, Don Toni, el *senyor* de Bearn, que, entre els bearnesos humils té fama de bruixot per diverses causes, entre les quals figuren les seves activitats científiques, que culminen amb la invenció d'un *auto-mobile*.

El servei a l'ídol, com el perfil d'ànima supersticiosa, es fa evident en el seu ministeri, que no tria per «virtut», sinó sobretot per «feblesa» i també per «vanitat»: «Si he cercat un refugi dins l'Església no ha estat per virtut, sinó per feblesa i fins potser perquè la meva vanitat no podia acceptar el paper que estava destinat a representar en el món» (p. 42), que és un paper subaltern, de criat. El servei a l'home/ bruixot es manifesta, en general, en la seva condició de criat de la casa de Bearn

8. Un altre personatge del *Journal*, M. le curé de Torcy, recorda la decepció que ell mateix va sentir quan, després d'un trimestre de noviciat, els responsables del Seminari el van enviar a casa, convençuts que «només servia per vigilar les vaques» (p. 43). Potser aquesta impressió inicial negativa, basada en algun disbarat juvenil, que M. le curé de Torcy va fer als responsables de Saint Sulpice és l'origen de la feina de porquerol que Villalonga va triar per a la infantesa de Joan Mayol.

i, més concretament, en la seva determinació de complir l'encàrrec de publicar les *Memòries* de l'amo, al qual professa un «amor» i una «fidelitat» tan intensos que fins i tot podrien «extraviar el [seu] criteri» (p. 17) sobre la conveniència de publicar-les.

D'una manera o altra, Joan Mayol sempre ha estat un criat i sempre ho serà. Ja he dit que cuidava porcs a cap edat, en una època en què «el respecte, la por o l'empegueïment» (p. 22) l'impulsaven a fugir cada vegada que veia els senyors de Bearn. Ell mateix explica que quan es va produir la mort d'En Jaume, «les advertències del senyor eren ordres per a mi» (p. 30), i «[l]a meva posició a la casa era falsa i depenia de l'humor de l'*amo*» (p. 31, la cursiva és meva). Més endavant es descriu com «un atleta ingenu, *creient* i cast» (p. 34, la cursiva és meva) i es recorda acomiadant-se de Don Toni amb el gest de besar-li la mà (p. 41). Don Toni reconeix que té «es sentit de sa veneració» i es mostra força perplex davant la seva humilitat i el seu respecte excessius: «És estrany que un homo fort, tan bell i meravellosament dotat com tu, sia tan humil i respectuós. Ets, al cap i a la fi, jove» (p. 191). Joan Mayol afegeix que, en pronunciar aquestes paraules, Don Toni «[p]arlava lentament i per un instant vaig pensar que, en lloc de jove, anava a dir-me que no era més que un criat» (p. 191). És per això, perquè només és un criat, que conversant amb ell Dona Maria Antònia sempre es refereix al seu marit com «es senyor», excepte quan ja comença a perdre facultats (p. 207).

Amb el temps, l'infant destinat a cuidar porcs arriba a ser «capellà [de] la casa» (p. 23) i té «la doble autoritat d'administrador i de sacerdot» (p. 126) dels senyors de Bearn, però això no modifica pas el seu rang de criat. La seva formació i el seu ministeri li confereixen unes atribucions i uns privilegis que altres criats no tenen, però continua formant part del servei de la casa.

El desig de Joan Mayol de servir dos amos amb voluntats que podrien ser oposades li crea «el cas de consciència» que origina la carta-novel·la. Perquè, aquests dos amos, ell està disposat a servir-los fins a les darreres conseqüències. Per això prefereix morir abans que haver de suportar una situació en què la discrepància entre la voluntat de Don Toni i el veredicte del Papa, «representant de Jesucrist damunt la Terra» (p. 168), l'obligui a desobeir el primer, a ser-li deslleial:

> Una cosa que no et vull amagar —escriu a Miquel Gilabert— és que, en aquest plet moral, sols podré admetre una solució que no s'oposi a les darreres voluntats del senyor i que, en cas de sorgir una divergència, em reserv el dret d'acudir fins a Roma. Si el mateix Papa em negava el consentiment, em veuria forçat a acatar els seus designis: emperò, si això hagués de succeir, deman i esper de la Misericòrdia Divina que la mort véngui abans a alliberar-me de les meves tribulacions. (p. 18)

Però el conflicte plantejat pel seu desig de servir dos amos, d'acatar dues voluntats que podrien ser oposades, no és pas l'únic factor que origina la carta-novel·la. N'hi ha un altre que també té una importància indiscutible:

> Ressenyar-te les particularitats d'aquella vida per mi tan estimada, malgrat els seus gravíssims errors, ha constituït *un lenitiu per a la meva solitud*. He de reconèixer que el mòbil de la meva narració, escrita en el transcurs d'aquestes nits interminables, no és, potser, únicament un escrúpol de consciència, sinó *la fruïció de fer reviure la figura familiar i venerada que acab de perdre*. (p. 17, les cursives són meves)

Aquest segon factor és el desempar de l'ànima envilida a l'hora d'afrontar la vida tota sola, la necessitat d'alleujar la soledat a què la condemna la mort de l'amo, que oferia protecció contra «los embates de la existencia». No és pas gratuït el trastorn de Joan Mayol davant la possibilitat, apuntada per Don Toni, d'haver de «sortir» (p. 168) de Bearn en un futur imprecís. Tampoc no ho és que al llarg de la carta es refereixi a Don Toni i al matrimoni Bearn no sols com «el senyor» i «els [meus] senyors», sinó també com «el meu protector» i «els meus protectors».

Per a Joan Mayol, la vida a Bearn amb els seus «protectors» ha estat el paradís terrenal que sempre acaba perdentse, un anticip del paradís «definitiu» (p. 115). Encara que li hagi exigit una quota elevada de dolor (cosa que no s'adiu amb els paradisos), la seva pèrdua imminent li fa exclamar: «Com enyoraré tot això quan d'aquí a poques setmanes ho deixi per a sempre!» (p. 115). La mort dels amos/ protectors/ senyors el priva d'un dels seus refugis (l'altre és l'Església), i la seva soledat s'endevina insuportable:

> Et puc assegurar, Miquel, que aquest saló des d'on t'escric, que he habitat amb els senyors i on seguesc *refugiant-me*, ja no és el mateix. Quan el mir, m'és impossible reconèixer-lo i només durant la nit m'apareix dins la *soledat* de la meva cambra tal com el vaig viure els darrers temps [...]. (p. 199, les cursives són meves)

La carta a Miquel Gilabert és, doncs, una maniobra dilatòria, un intent desesperat per ajornar la catàstrofe personal que comportarà la sortida de Bearn, la vida sense «protectors», la soledat radical de l'existència: «Cualquier cosa, antes que sentir el terror de afrontar solitario [...] los embates de la existencia». Perquè, a més de ser l'ànima envilida, supersticiosa, servil, Joan Mayol també és el personatge que representa la davallada del coratge viril, el principi del «reinado de la cobardía», que Ortega situa més enllà de la derrota del projecte racionalista i la zona de desil·lusió subsegüent.[9]

En vida, Don Toni procura que Joan Mayol es converteixi en un home fort i valent: recomana al Rector del Seminari que el deixi nedar i jugar a pilota, pretén que el jove seminarista emuli els atletes de l'estatuària grega i fins i tot li instal·la un gimnàs a la possessió perquè faci exercici durant les vacances. Molt orteguianament, el Joan Mayol adult resumirà així el propòsit de Don Toni pel que fa a la seva formació: «m'hauria volgut veure fort i valerós davant els *embats* de les passions»

9. José-Carlos Mainer ja va identificar la covardia com una de les característiques de Joan Mayol: «sus protagonistas [de *Bearn*] se consumen solos, en la ruina lúcida de un mundo de elegancia y pasión [...] que en la novela se nos da a través de la óptica de un capellán de la casa, asustadizo y fiel, ilegítimo quizá del señor y, como Riber o Costa, tan apasionado lector de los latinos como alejado de cualquier forma de espíritu aristócrata» (1969, p. 3).

(p. 34, la cursiva és meva). Però, malgrat la fortalesa física, Joan Mayol és una persona feble i covarda. Ja he indicat que és sobretot per «feblesa» que decideix buscar «un refugi dins l'Església». Aquesta feblesa també es percep en la seva reacció a l'accident dels senyors de Bearn amb l'*auto-mobile*. En relatar-lo, el sacerdot no amaga la discordança entre la seva força física i la seva falta de coratge: «Sempre he estat molt fort [...]. Desgraciadament aquesta força física, que no em serveix de res, no està relacionada amb el coratge» (p. 112). En produir-se l'accident, seguint instruccions de Dona Maria Antònia, va portar Don Toni, sense sentit i amb un trau al front, al sofà d'una sala contígua. Després, «el cap començà a dar-[li] voltes i [va] caure en terra tan llarg com era» (p. 112). Més tard recordarà aquest desmai com un episodi indigne, vergonyós (p. 135), en què «Dona Maria Antònia, una senyora, m'havia hagut de donar exemple de fortalesa» (p. 149), a ell, que aleshores era «un jove fort, el més fort del poble» (p. 135) i encara ho és.

A París, després d'obrir la cella a un policia que ha comès l'error d'agafar-li el braç i dir-li, molt correctament, que està prohibit baixar d'un tramvia en marxa, també és a punt de desmaiar-se: «En contemplar-lo ple de sang, em vaig trastornar de tal manera que tenia por de perdre el coneixement» (p. 139). L'audàcia mental de Don Toni, que físicament és poca cosa, un tipus «magre i esvelt, una mica menut» i «lleig» (p. 22), o «que passava per lleig»,[10] contrasta amb la covardia del sacerdot, tan poc en consonància amb la seva força física, però pròpia de la fi del cicle històric orteguià.

10. Lleig potser com el Marqués de Bradomín, el personatge de Valle-Inclán, que també és autor d'unes memòries. La *Sonata de primavera* va precedida per aquesta «Nota»: «Estas páginas son un fragmento de las *Memorias Amables*, que ya muy viejo empezó a escribir en la emigración el Marqués de Bradomín. Un Don Juan admirable. ¡El más admirable tal vez! / Era feo, católico y sentimental» (1994a, p. 22). A la *Sonata de invierno*, la Marquesa de Tor, tia de Bradomín, li diu: «Eres el más admirable de los Don Juanes: Feo, católico y sentimental» (1994b, p. 185) .

Si Don Toni personifica l'etapa racionalista i revolucionària de la cultura europea, i també el desencant, la desil·lusió per aquesta etapa, resulta difícil de creure que la seva desil·lusió i la seva ruptura amb els Rosenkreuzer al·ludeixin a la desil·lusió de Villalonga amb la Falange, confirmada pel *Diario de guerra*, i al seu *retorn* al liberalisme, que, com ha demostrat Josep Massot (1998, pp. 217-256), no es va produir, per més que Villalonga procurés reescriure la seva vida. La lectura d'Alegret es pot qüestionar a partir d'algunes dades de la mateixa biografia de Villalonga i des de la perspectiva d'una conversa entre dos personatges de *Desenllaç a Monlleó* (1958, 1963) en què reapareix la fraternitat dels Rosenkreuzer.

Segons Jaume Pomar, Francesc Villalonga «de ca n'Escalades», «un veritable aristòcrata mallorquí, republicà, d'esquerres i volterià», hauria explicat a Villalonga històries de la seva família (dels Villalonga «de ca n'Escalades», no de la família de Llorenç Villalonga) que «passaren a integrar distints elements del mite de Bearn» (1995, p. 116). Es tractaria d'una família «molt progressista al llarg de la història» i sembla que un dels seus membres, «[e]l lliurepensador Antoni Villalonga [...] aporta elements anticlericals i de relació amb la maçoneria a don Toni de Bearn» (1995, p. 116). Pomar revela que el personatge de Don Felip «sorgeix de la memòria que l'autor fa del seu germà Guillem, separat de l'exèrcit» (1995, p. 234), que es va instal·lar a Mèxic a la dècada de 1940, i tot i que concedeix, seguint la interpretació d'Alegret, que Don Felip «potser [...] actua com a metàfora dels contactes de Llorenç Villalonga amb els feixismes», també recalca que és un personatge «il·lustrat», i que la seva relació amb la maçoneria podria ser un eco literari de «la curta participació en la lògia *Renovación 20*» (1995, p. 234) de tres amics del novel·lista, dos dels quals van ser represaliats pel franquisme.[11]

La primera versió, en castellà, de *Desenllaç a Montlleó* es

11. Vegis's també Pomar 2003, pp. 18-19.

va publicar dos anys després de la primera edició, també en castellà, de *Bearn*. Un dels personatges principals n'és Gertry Seymour, que s'assembla a Don Toni de Bearn pel seu racionalisme, entre altres coses. Mrs Seymour va passar la infantesa i els anys adolescents a la casa familiar de Mansfield Park, a Escòcia. Al tercer capítol de la novel·la, el narrador fa constar que la casa familiar estava situada a prop d'una muntanya amb una fortalesa, Black-Castle. Aquesta fortalesa «havia servit de refugi als companys de Christian Rosenkreuzer, que patrocinats per Robert Fludd arrelaren en el comtat durant el segle XVII» (1993b, p. 263). En aquest capítol, Gertry Seymour és molt jove i està enamorada de James Brady, fill únic d'«un eclesiàstic viudo» (p. 263) (l'administrador del pare de Gertry) i estudiant de filosofia i ciències morals a Cambridge. Però el pare de Gertry ha pactat el matrimoni de la noia amb un veí seu, un baronet endeutat, les hipoteques del qual pensa redimir a canvi d'un títol nobiliari per a Gertry, que culminaria l'ascensió social de la família. Un vespre, Gertry demana permís al seu pare per visitar les ruïnes de Black-Castle amb James Brady, que no està al corrent de les seves intencions. L'endemà, Gertry i James pugen a la fortalesa, on tenen una conversa de caire filosòfic i moral en què Gertry informa el jove purità que no creu en el lliure arbitri. Entre perplex i esglaiat, James Brady s'esforça per rebatre aquesta descreença amb arguments propis de la seva formació religiosa. Al final, la conversa deriva cap als Rosenkreuzer:

> —¿És cert —preguntà [Gertry]—, que Robert Fludd fundà aquí una lògia maçònica?
> —Fludd no era precisament maçó, encara que pertanyia a la secta dels Rosenkreuz.
> —Devia esser lliurepensador —digué Gertry.
> —S'equivoca. Sembla, i així ho diu el meu pare, que Fludd no abdicà mai de les seves creences cristianes. Ja sap que l'emblema dels Rosenkreuz és una creu voltada de roses.
> —Però, malgrat l'emblema, eren lliurepensadors. A la biblioteca de casa hi ha un llibre alemany, imprès a Wutemberg, que explica la vida de Christian Rosenkreuz. L'autor és Valentí Andreae.

—Ha de saber, senyoreta, que Christian Rosenkreuz probablement no ha existit mai.

Ella reia amb amargor.

—Per què té interès que no hagi existit? Sempre hi hagué i hi haurà éssers que pretendran investigar pel seu compte. És el seu pare qui nega l'existència de Rosenkreuzer?

—Sí, senyoreta. És el meu pare, que coneix a fons aquestes matèries.

[...]

—Bé. Jo també pens estudiar-les —murmurà ella.

—El llibre d'Andreae a què vostè al·ludeix no me mereix crèdit. La crítica solvent...

—Els Rosenkreuz, no es deien els «invisibles»?

—Així és. René Descartes va anar a Alemanya per conèixer-los i no en pogué veure cap. El sol fet de fugir de la llum ja significa superxeria.[12]

[...]

—¿Per què ha de significar superxeria i no una altra cosa, per exemple por? El probable és que si els Rosenkreuzer eren persones intel·ligents i instruïdes que es volien relacionar per investigar lliurement, procurassin defensar-se de possibles persecucions.

—No falta —reconegué James— qui els disculpi, com el mateix Fludd, en nom de la ciència; però la idea de fer-los passar per màrtirs de la veritat no té cap fonament. No eren científics pròpiament dits, sinó alquimistes, bruixots. Pretenien transmutar els metalls (ja sap, la pedra filosofal); com també conèixer el que ocorre a milers de llegües de distància.

—Cosa —interrompé Gertry— que acaba d'aconseguir-se per mitjà del telèfon. I què em diu de l'electricitat? ¿Afirmaria que Edison és un bruixot?

—Crec, senyoreta, que vostè involucra el concepte de ciència... Que està traient les coses de lloc...

[...]

—Li sembla bé que tornem a casa? —digué [Gertry]. I al cap d'un moment afegí—: He intentat exposar-li el meu pensament amb la major claredat possible. Sentiria enganyar-lo; vostè és la persona que més estim —i pensà que allò era quasi la declaració d'amor que ella havia esperat no haver de fer, sinó rebre—; enganyar-lo com engany tothom respecte de les meves idees, tal vegada per por. (pp. 270-271)

12. Vegi's Thomas de Quincey 2000, p. 27.

L'interès de la jove Gertry pels Rosenkreuzer es desperta a causa de la seva reputació de lliurepensadors, d'il·lustrats *avant la lettre* que aspiraven a investigar lliurement. En principi, és així que es justificaria l'interès de Don Toni pels «invisibles» i la relació, relativament breu, que hi manté, molt versemblant si tenim en compte que ell també és un il·lustrat que investiga pel seu compte, lliurement. Pel que fa a la ruptura, ja hem vist que es devia a una altra característica de la seva personalitat: la desil·lusió. Així doncs, el tercer capítol de *Desenllaç a Montlleó* aporta un argument de pes a favor d'abandonar la interpretació dels contactes de Don Toni amb els Rosenkreuzer com una al·lusió a la militància falangista de Villalonga. És clar que els partidaris d'aquesta interpretació podrien argüir que la «por» dels «invisibles» que Gertry intueix («¿[p]er què ha de significar superxeria i no una altra cosa, per exemple por?»), i la por de la mateixa Gertry («[s]entiria enganyar-lo [...] enganyar-lo com engany tothom respecte de les meves idees, tal vegada per por») codifiquen literàriament la por que Villalonga devia passar durant la guerra: «Villalonga tuvo miedo, mucho miedo, durante la Guerra» (Llop 1997, p. 25), però sobre aquest punt el silenci de *Desenllaç a Montlleó* és tan impenetrable com el de *Bearn*.

Potser a *Bearn* hi ha algun episodi inspirat en l'experiència de la guerra, però crec que no és una novel·la sobre la guerra ni una novel·la en què Villalonga intenti exculpar la seva militància falangista o treure-hi importància. Ara bé, això no significa pas que el feixisme no hi sigui representat. Per *verificar-ho* ens haurem de refiar, una vegada més, de l'obra d'Ortega.

A «Sobre el fascismo» (1925), Ortega ressalta el caràcter enigmàtic, paradoxal, del feixisme (el model en seria el feixisme italià) i el compara amb una societat secreta:

> Afirma el autoritarismo, y a la vez organiza la rebelión. Combate la democracia contemporánea y, por otra parte, no cree en la restauración de nada pretérito. Parece proponerse la forja de un Estado fuerte y emplea los medios más disolventes, como si fuera una facción destructora o una sociedad secreta. (1957i, p. 497)

El feixisme és un fenomen històric que comparteix amb el cesarisme «algunos factores»; en concret, «fascismo y cesarismo tienen, como supuesto común, el previo desprestigio de las instituciones establecidas» (1957i, p. 500). Vist des de fora, presenta dues característiques destacades: il·legitimitat i violència (la segona seria el resultat de la primera). Però la il·legitimitat del feixisme no és com la de qualsevol altre moviment revolucionari que s'apropia del poder: «lo curioso en el fascismo es que, no sólo se adueña del poder ilegítimamente, sino que, una vez establecido en él, lo ejerce también con ilegitimidad» (1957i, p. 501). El feixisme és original en el sentit que no aspira a la legitimitat, que no intenta dotar el seu poder d'una base jurídica. La violència feixista emana d'aquesta falta de legitimitat, «[e]s el sucedáneo de una legalidad inexistente» (1957i, p. 502). Ortega qualifica d'«inaudito» el triomf del feixisme, que és «ilegitimidad constituída, establecida» (1957i, p. 503), i es pregunta per què les forces socials partidàries del dret no aconsegueixen oposar-se a aquesta forma d'il·legitimitat, «a esa victoria del caos jurídico» (1957i, p. 503). La resposta seria que «hoy [1925] no existe en las naciones continentales ninguna forma de legitimidad que satisfaga e ilusione a los espíritus» (1957i, p. 503). La falta de fe en formes polítiques legítimes, la inexistència d'institucions que generin l'adhesió i l'entusiasme dels ciutadans, faciliten el triomf del feixisme, que prescindeix de les institucions. Per tant, la força del feixisme rau «en el escepticismo de liberales y demócratas, en su falta de fe en el antiguo ideal, en su descamisamiento político» (1957i, p. 503)

La possible temptació de fer servir l'analogia entre feixisme i societat secreta per apuntalar la lectura que converteix *Bearn* en una novel·la d'autojustificació del Villalonga falangista s'esvaeix quan es comprova que no és pas Don Toni, sinó Joan Mayol el personatge amb les dues característiques que Ortega detecta en el feixisme. De fet, «Sobre el fascismo» és un dels intertextos que ens permet assegurar que Joan Mayol és fill il·legítim de Don Toni, i aïllar la violència com un altre element de la seva funció al·legòrica.

Sobre la seva relació amb En Jaume, Joan Mayol escriu: «Hi ha en mi un fons de crueltat i de sobergueria que en condicions normals apareix adormit» (p. 32). La crueltat i la sobergueria en els jocs (uns jocs que impliquen «lluita» i «pugilats» [p. 32]) i en el tracte podrien ser la causa de la mort d'En Jaume, de la qual Joan Mayol es responsabilitza del tot, ja que va actuar «impulsat per instints confusos, propis, no diré d'un primitiu, sinó d'una bèstia» (p. 182), encara que sigui incapaç de distingir «la part conscient i la involuntària del fet» (p. 31). Potser sí que «[d]'ençà de la tragèdia d'En Jaume la violència [l]'horroritza i, posat en el dilema d'agredir o d'esser agredit, quasi [prefereix] això darrer» (pp. 49-50). Però l'horror a la violència no li impedeix de voler ajudar «un esbart de facinerosos» (p. 49) que durant la Revolució de Setembre (1868) intenten enderrocar l'estàtua d'Isabel II al Passeig del Born de Palma,[13] d'agredir sense motiu «un pobre agent d'ordre públic» (p. 156) a París, de «sentir l'impuls de desbaratar a bufetades» (p. 156) el recepcionista de l'hotel parisenc que, segons ell, els acomiada «amb una ironia cruenta» (p. 162), d'enfurismar-se amb uns estudiants napolitans que canten una cançó «estòlida» (p. 163) a l'hotel de Roma, abans de sucumbir (castament) a la seva bellesa, o d'agafar amenaçadorament per les solapes el secretari del doctor Wassmann en el transcurs de la seva entrevista amb els dos Rosenkreuzer: «Crec que pegar-me amb els visitants m'hauria produït un gran plaer físic, però fins i tot aquest plaer, corrent per a qualsevol home, m'era vedat» (p. 231). Potser sí que d'ençà de la mort d'En Jaume a Joan Mayol l'horroritza la violència. Però ell es defineix com un pagès «violent» i, en moments molt concrets, la seva conducta, o almenys els seus impulsos, fan bona la definició.

Abans he citat un fragment en què el sacerdot confessa que quan pensa en les pobres dones seduïdes per Don Toni, entre les quals devia haver-hi la seva mare, li bull la sang i té ganes

13. Joan Mayol té ganes d'ajudar els revolucionaris i, al mateix temps, d'enfrontar-s'hi: «jo me sentia amb forces per tombar [un carregador de moll] d'una manotada i fer-ho m'hauria proporcionat un gran benestar físic» (p. 149).

de venjar-les, prescindint de la misericòrdia cristiana. Doncs bé, aquest fragment que associa d'una manera directa il·legitimitat i violència és el que ens fa comprendre que en el personatge de Joan Mayol, com en el feixisme analitzat per Ortega, la violència prové de la il·legitimitat, emplena el buit d'una legitimitat absent, és «el sucedáneo de una legalidad inexistente».

«Sobre el fascismo» també *explica* que Don Toni sigui «tan lliberal» (p. 120), així com la desil·lusió o l'escepticisme que l'empenyen a abandonar la fe dels Rosenkreuzer («Admir en vostès una fe que no compartesc»). Aquesta desil·lusió i aquest escepticisme filtren dins la novel·la l'escepticisme que Ortega imputa a demòcrates i liberals, «su falta de fe en el antiguo ideal», en les formes polítiques legítimes, de la qual el feixisme extrau la seva força. Políticament, Don Toni és un *descamisat*. Joan Mayol, en canvi, a més de ser l'ànima supersticiosa, envilida i covarda, representa el feixisme tal com el concep Ortega, amb les seves dues característiques més destacades d'il·legitimitat i violència.

La novel·la escenifica el traspàs de poder del liberalisme al feixisme, l'abdicació de demòcrates i liberals a favor de la il·legitimitat. Potser és significatiu que Don Toni, oblidant per un instant el seu afrancesament, aprovi l'agressió de Joan Mayol al policia francès (p. 146). Segur que ho és, i molt, que li confiï la publicació de les *Memòries*, l'únic que dóna sentit a la segona part de la seva vida (p. 222), juntament amb Dona Maria Antònia: «Fii meu, no tenc ningú més que tu. Tots es meus amics són morts. Obra com trobis» (p. 57). Si no fos un gest d'abdicació, propi «de l'actitud d'un escèptic que rebutja tota responsabilitat» que li retreu el doctor Wassmann, ¿quin sentit tindria que encarregués la publicació de la seva obra cabdal a la persona que el volia convèncer que n'eliminés els fragments sobre les seves infidelitats «escabroses» (p. 60), a qui li demanarà, quan ja sigui més de l'altre món que d'aquest, autorització per suprimir-ne «tot allò que un consei de moralistes estimi pertinent a major servei de Déu i bé de sa seva ànima» (p. 222)? Encara que el seu esperit servil l'obliga a acatar la voluntat de l'amo, Joan Mayol és la persona menys adequada per fer-se càrrec de la publicació de les *Memòries* precisament perquè en té un altre, d'amo, i obeir-lo podria ser incompatible amb l'acceptació del contingut, o part del contingut, de les *Memòries*. Per això s'hauria estimat més que Don Toni «encarregàs l'assumpte a una altra persona» (p. 55).

Aquest gest d'abdicació o d'irresponsabilitat té un precedent important a la carta de ruptura amb els Rosenkreuzer, on Don Toni afirma que no es decideix a destruir els secrets que li han estat confiats per la fraternitat, «uns documents que constituiran tal volta la història de demà», perquè no creu tenir el «dret a disposar de l'avenir», i deixa una qüestió tan delicada en mans del futur sacerdot: «Després de la meva mort, estic segur que Don Joan Mayol, avui seminarista i amb el temps, si Déu ho vol, capellà de la casa, sabrà obrar en conseqüència» (p. 228). En aquest cas, Joan Mayol interpretarà la voluntat de l'amo cremant els papers de la sala de les nines, eliminant, per tant, la possibilitat de conèixer a fons la genealogia dels Bearn i els secrets confiats a Don Toni pels Rosenkreuzer.

Qüestió de genealogies

La seva decisió de cremar els papers de la sala de les nines s'ha de llegir tenint en compte que per a Ortega les èpoques postrevolucionàries coincideixen amb la decadència,

> [y] las decadencias, como los nacimientos, se envuelven históricamente en la tiniebla y el silencio. La historia practica un extraño pudor que le hace correr un velo piadoso sobre la imperfección de los comienzos y la fealdad de las declinaciones nacionales. (1957f, p. 228)

A la novel·la, el «velo piadoso» que oculta la imperfecció del principi i la lletjor de la fi del cicle històric és al·ludit en la resposta de Joan Mayol a la sorpresa dels emissaris de Bismarck quan s'adonen que a la sala de les nines no queda ni un sol paper:

—Però com s'explica això, senyor sacerdot? No fa encara deu hores ens assegurà que ningú no ha entrat en aquesta sala. Quin nom haurem de donar a tal misteri?
Em vaig permetre una ironia.
—A Egipte el designarien per «el vel d'Isis». (p. 232)

La «tiniebla» que envolta el naixement i la decadència apareix en una frase habitual de Don Toni: «Sa nostra estirp és tan antiga que no té data. Se perd dins sa *fosca*» (p. 21, la cursiva és meva); a la frase de Joan Mayol que obre la segona i última secció de l'«Epíleg»: «'El vel d'Isis'... Destruïda la sala de les nines, vanament intentaré escodrinyar si existien misteris *tenebrosos* o si, rera el vel, hi havia tan sols un mur» (p. 232, la cursiva és meva), i, no gaire més endavant, quan es fa ressò de «les *tenebres* que enrevolten la mort del meu protector» (p. 233, la cursiva és meva). El «silencio», per altra part, s'entreveu en el fet que, encara que cada any, per sant Miquel, festa patronal de Bearn, el predicador insisteixi que les terres de Bearn pertanyen a la família des de la Conquesta, «manquen els documents que ho acreditin» (p. 21).

A *Bearn*, el tema de la il·legitimitat no sols es planteja a través de Joan Mayol, sinó també a través de Don Toni, Dona Maria Antònia i altres personatges secundaris. «La novel·la és plena de reflexions sobre la relativitat del llinatge, [i] no només en relació amb la dinastia dels Bearn» (Castellanos 1995, p. 83). Són reflexions sobre l'origen plebeu de famílies o individus importants i el caràcter adulterat, fraudulent, de totes les genealogies.

En una conversa amb Joan Mayol, per exemple, Don Toni remarca la «modesta extracció» del príncep de Bismarck i assegura que l'emperador Guillem I «no és sinó descendent d'uns pobres marquesos de Brandenburg» (p. 38). Tot seguit afegeix: «Es deliri de grandesa ataca sobretot es petits» (p. 38). Don Toni menysprea la noblesa del Primer i Segon imperi francesos, el duc de Campo Formio li sembla «un improvisat» (pp. 66, 81)[14] i pensa que els Bonapart «no sols [...] no te-

14. Vegi's Bosch 2003, pp. 106-107.

nien dret al tron, sinó que Lluís Napoleó no era Bonapart» (p. 66). La noblesa recent del país, com la del marquès de Collera (pp. 108, 131), no la suporta, i considera sense fonament la «pretensió» de la branca segona de Bearn, la del marit d'Obdúlia Montcada, «que els Bearns han tengut aliances amb els prínceps de Nemours i els reis de Navarra» (p. 51). Davant el Vicari es mostra escèptic sobre l'origen de Jaume I («[e]ncara no està demostrat que en Jaume I fos fii de son pare» [p. 55]), i Joan Mayol revela la seva tendència creixent a desconfiar de les paternitats (p. 66). En el cas de Lluís Napoleó, el sacerdot entén que es tracta d'una actitud correcta ja que

> [l]a reina Hortènsia, que segons [Don Toni] tampoc no era reina, havia tengut relacions bastant públiques amb l'almirall Verhuell i, efectivament, Lluís Napoleó no assembla als Bonapart, sinó que té cara d'holandès». (p. 66)

L'opinió dels senyors de Bearn sobre les genealogies i la reialesa seria aquesta:

> Segons [Don Toni], les famílies es formen elles mateixes per decantació en el transcurs dels temps, com els bons vins. Els reis moltes vegades no passen d'esser uns aventurers i, sobretot, ¿quin poder tenen per concedir certificats de noblesa? (p. 55)

> Com a autèntica Bearn [Dona Maria Antònia] professava, igual que el seu marit, la creença que les famílies es formen en el transcurs dels segles i no sentia gaire veneració per la reialesa. (p. 107)

Quan Don Andreu visita Don Toni per informar-lo que els seus nebots «se voldrien creuar de no sé quin orde i necessitarien [...] consultar s'arxiu», ja que «[s]es proves de noblesa que tenen fins ara sembla que no basten» (p. 75), Don Toni replica que s'hi hauran de conformar perquè l'arbre genealògic de la casa només arriba fins al segle XVI i les terres van passar a mans de la família el 1504. Això sorprèn molt el Vicari: el dia de sant Miquel sempre ha predicat que els senyors de Bearn descendeixen de la Conquesta i es resisteix a creure que no sigui així. Malgrat les dades que Don Toni li proporciona, s'aferra a la seva idea: «No obstant, sa tradició...» (p. 75).

Don Toni no té cap inconvenient a rebre els nebots, per qui no sent gaire afecte, amb la correcció que exigeix el cas, però es nega en rodó a deixar-los consultar l'arxiu: «Aquí és ca seva. Però res d'arxiu. Aquestes qüestions de genealogia...» (p. 78). Aquestes qüestions de genealogia confirmarien que el seu origen i el de Dona Maria Antònia és un origen plebeu, com el d'altres personatges que Villalonga utilitza per representar la fi d'un món.[15] Per dir-ho com el doctor Wassmann, demostrarien la seva bastardia. És clar que això hauria de tenir molt poca importància perquè, com suggereix el Vicari, iniciant la retirada: «Tots som fiis de ses nostres obres» (p. 78), idea que Dona Maria Antònia subscriurà en una altra ocasió: «Cadascú és fii de ses seves obres» (p. 213).

L'obscuritat i el silenci que envolten els orígens dels senyors de Bearn o la certesa que les seves terres només els pertanyen des del segle XVI no desllueixen el prestigi del nom familiar. De petit, Joan Mayol només gosava mirar-los el dia de sant Miquel, a l'església, i aleshores li feien una profunda impressió que més tard relacionarà amb «una qualitat [...] immaterial, quasi màgica, que es desprenia del nom feudal i pastorívol de Bearn» (p. 22). El sacerdot insisteix en aquesta qualitat màgica del nom: «Perdut el nom, que és un conjur

15. Obdúlia Montcada no té cap dubte que els Montcada són «la primera entre totes les famílies de Mallorca» (1931, p. 19), però «[s]on pare, el senyor de can Montcada, s'havia casat en els seixanta anys amb una noia pobra, filla d'una coneguda pecadora de la ciutat, que morí al donar a llum. Per part de mare tenia D.ª Obdúlia un cosí fuster i una neboda que rodava pels music-halls, a Barcelona o a València. Per part de pare [comptava] amb ascendents pirates — els fundadors — mercaders, barons [i] sants» (p. 23). A *Desenllaç a Montlleó*, Gertry Seymour recorda que el seu pare va encarregar l'arbre de la família a un rei d'armes: «En el segle XIX, hi van trobar un armador; a mitjans del XVIII, un entroncament jueu damunt el qual van passar ràpidament. Devers 1790, un Seymour posseïa un molí en el comtat de Sommerset, i el 1688, un altre Seymour era capità de la Marina Reial. El senyor Seymour pare ordenà suspendre les investigacions i encarregà un retrat a l'oli del capità. Ningú no podia assegurar que en el segle XVI no haguessin topat amb un galiot» (1993b, p. 347).

màgic, ¿què quedaria, en definitiva, de les paternitats i de les famílies?» (p. 58), en «el prestigi màgic de les cinc lletres que componen el nom de Bearn» (p. 123). En termes generals, atorga una gran importància al nom dels aristòcrates: «El que interessa [dels senyors] és no tant la persona com el nom que la vest» (p. 152). L'aristòcrata pot ser «més ignorant i més tosc en els seus costums que qualsevol individu de la classe mitjana», però això no fa minvar «un prestigi que no és seu, sinó llegat de la tradició i que va vinculat exclusivament al llinatge» (p. 152).

Don Toni, en canvi, no professa cap devoció especial al nom de Bearn, «aquell vell nom en el qual deia no creure, tot i saber que els noms constitueixen la realitat i la continuïtat de la Història» (p. 58), i està convençut que l'aristocràcia desapareixerà aviat:

> —Aquestes coses de senyoriu —digué Don Toni— són veieses manades [a] retirar. En es segle XX, no en farà cas ningú. Es socialisme s'imposarà. (p. 122)

> —Ja he dit fa anys —replicà Don Toni— que es senyors s'acaben. (p. 176)

> Estava convençut que els senyors no tendran raó d'esser, la propera centúria; que, encara que hi hagi rics i homes de ciència, el poble deixarà de considerar-los com a arquetipus i que el marxisme, tal vegada amb un altre nom, serà el sistema del segle a venir, almenys a Europa.[16] (p. 182)

I és que a Don Toni tots els noms el deixen indiferent perquè, com diu a vegades a Joan Mayol:

> —En realitat tothom es fii de son pare i poc hi importa que aquest es digui Pere o Pau. No hi ha res tan adulterat com ses estirps. Es qui encara hi creuen són uns improvisats. Si tenien un arxiu de segles com es que tenim aquí, sabrien moltes de coses. (p. 66)

16. Per a Spengler, «el budismo, el estoicismo, el socialismo, son manifestaciones finales [d'una cultura] que se equivalen morfológicamente» (1998, vol. 1, p. 606). Compari's amb el que exposa Ortega a «Socialismo y aristocracia» (1969, pp. 238-240).

Dona Maria Antònia tampoc hi creu, en les genealogies, començant per la seva:

> —Jo, Joan, no puc assegurar que som una Bearn. Déu meu, poden haver succeït tantes de coses... D'es meus pares sí que en som fia, perquè mumare era una santa; però, què sé jo d'ets avis? Hi ha hagut tantes històries... Es senyor deu haver trobat coses per s'arxiu, però ell no diu res... (p. 193)

Joan Mayol jutjarà amb molta severitat la conducta de Xima durant l'aventura de París amb Don Toni, i no la podrà atribuir a la lectura de novel·les franceses «romàntiques i llibertines» (p. 62) perquè Xima no en llegia. Des del seu punt de vista, Xima és una encarnació de l'esperit del mal que supera la immoralitat de les novel·les de Victor Hugo i Alexandre Dumas. Com que ha tingut accés a la part de l'arxiu que no es guarda a la sala de les nines, a Joan Mayol se li acut de servir-se de les lleis de l'herència, com «[e]l tristament famós Zola, creador dels Rougon-Macquart», per explicar una conducta tan immoral, tot i que al final no gosa:

> Nosaltres no podem admetre tals doctrines, però he de reconèixer, després d'haver estudiat l'arxiu de la casa, que dins la família, devora vides exemplars com la del Bisbe Rigobert i la de la Venerable Maria Francisca, hi hagué els seus punts escapats. Alguns s'han mantengut en secret. Altres, com la conducta de Dona Aina, àvia de Dona Xima i tia pròpia del senyor, foren del domini públic. A mitjan segle, un Bearn acabà a la presó. Per això el canonge Binimelis, a qui agradava designar les coses pel seu nom, solia dir, torcent la boca:
>
> *Bearn,*
> *peix i carn,*
>
> com volent significar que, a la família, s'hi troba de tot. Aquestes ensopegades són bastant generals, fins dins les genealogies més il·lustres, la qual cosa ens hauria d'ensenyar a esser humils. (p. 62)

Un fragment de les *Memòries* de Don Toni adreçat explícitament a Joan Mayol corrobora la validesa d'aquesta sinopsi de la genealogia dels Bearn basada en dades de la part accessible de l'arxiu:

> La rutina [...] ens indueix a creure que els Bearns són uns senyors honorables que, si no de la Conquesta ençà, perquè això no se sap, ocupen dignament un solar conegut almenys des del segle XV. Nosaltres mateixos es hem compost una estampa amb el Bisbe Rigobert, Don Ramon de Bearn i *la Venerable*. Quantes excepcions, però, a la regla...
>
> Tu coneixes la història de la meva tia Dona Aina, la senyoràvia de Na Xima. De Don Toni, el meu rebesavi, ja saps les gloses que li feren. Si t'entretens a l'arxiu hi trobaràs encara més coses, però són episodis voluntàriament oblidats. La llegenda del nostre escut diu taxativament: «Abans morir que mesclar la sang.» I Don Pau de Bearn... (pp. 67-68)

Els punts suspensius de l'última frase corresponen a «tres retxes esborrades, de les quals només es poden desxifrar dues paraules: 'jo mateix'» (p. 68).

L'arbre genealògic dels Bearn,[17] que es guarda a l'arxiu de la casa, conté prou informació, prou «afront[s]» (p. 155) per establir que a la família hi ha hagut de tot, bo i dolent. És clar que ni el relat de Joan Mayol ni els fragments citats de les *Memòries* de Don Toni permeten conèixer a fons aquesta informació, la naturalesa d'aquests «afront[s]», que en principi esdevindrà irrecuperable a causa de la decisió del sacerdot de cremar els papers de la sala de les nines.

LA SALA DE LES NINES

Aritzeta ha utilitzat el concepte d'«entropia» per analitzar la sala de les nines. Entropia vol dir desordre, interferència,

17. «Es característico de los pueblos fáusticos el tener conciencia de la dirección de su historia. Esta dirección, empero, va unida a la serie de las generaciones. El ideal racial es de naturaleza *genealógica* [...] y el universo como historia, en cuyo cuadro vive el individuo, no contiene solo el *árbol genealógico de la familia particular*, sobre todo de la reinante, sino también el de los pueblos, como forma fundamental de todo acontecer» (Spengler 1998, vol. 2, p. 280).

soroll que penetra en un procés de comunicació i l'obstaculitza, produint una pèrdua d'informació. Hi ha situacions comunicatives habituals afectades per l'entropia que poden ser reconduïdes (es pot recuperar la informació perduda) i d'altres que no. Atesa la naturalesa peculiar de l'obra d'art, l'entropia sempre hi produeix una mancança, una pèrdua d'informació irrecuperable. Hi ha entropies involuntàries (una estàtua que ens arriba sense braços perquè van ser destruïts, la poesia de Safo, novel·les inacabades per la mort de l'autor...) i el que Aritzeta anomena «mancances voluntàries»: «Un tors escultòric ha nascut només com a tors, la 'sala de les nines' és des del primer moment una història incompleta» (2002, p. 53).[18] La sala de les nines seria «una història molt incompleta» inclosa a *Bearn*, i aquesta incompleció es faria patent amb la publicació de «La sala de les nines» (1967), el conte de Mercè Rodoreda, des del qual «ens adonem que la història incompleta de la 'sala de les nines' [...] no pot ser restituïda per cap mitjà perquè la mancança forma part estructural de la novel·la» (2002, p. 55). El que m'interessa de l'anàlisi d'Aritzeta és la premissa que, com que *Bearn* és una obra d'art,

> no hi ha enlloc on es pugui anar a buscar la informació que ens falta sobre el que va ocórrer a Bearn i, per tant, a la «sala de les nines», si no és a l'interior de la novel·la. Si a l'interior de la novel·la ens diuen que no hi ha res a saber, perquè tots els papers que volíem conèixer s'han cremat, si el narrador, mentre té la paraula, només ens dóna insinuacions, mitges frases o indicis molt incomplets, si ens diu que ell mateix no en va saber mai la història, no ens pot ajudar ningú. (2002, pp. 55-56)

Aritzeta proposa les diverses reescriptures existents de la història de la sala de les nines (el conte de Rodoreda, les novel·les *Crineres de foc* [1985] i *L'avinguda de la fosca* [1994] de Maria Antònia Oliver i Antoni Serra, respectivament) com a única alternativa possible a la incompleció de la història, però

18. L'«absència d'especificitat textual» de què parla Johnson seria una «mancança voluntària».

reconeix que aquestes reescriptures «no es poden instaurar com a aclariments, com a restitucions d'un silenci de l'obra d'art, perquè ja són una obra distinta» (2002, p. 56).

És cert que l'entropia impossibilita el coneixement dels papers de l'arxiu de Bearn (els que Joan Mayol ha llegit i els de la sala de les nines), que la informació que ens falta sobre el que va passar a Bearn i a la sala de les nines resulta introbable perquè no és a l'interior de la novel·la, i que la informació de què disposem és molt esquemàtica o fragmentària. Però això no vol dir que sigui insuficient, o que el *sentit* de la informació perduda hagi de ser forçosament introbable. De la mateixa manera que l'«absència d'especificitat textual» pel que fa a la filiació de Joan Mayol es pot contrarestar per la via intertextual, l'entropia, el soroll que barra l'accés a l'arxiu de Bearn s'afebleix fins a desaparèixer si interroguem els textos adequats. Els «aclariments» existeixen, pero no són a l'interior de la novel·la. Per trobar-los cal tenir en compte que la configuració de la genealogia dels Bearn, la qüestió de la seva il·legitimitat, ficcionalitza alguns aspectes del pensament d'Ortega sobre l'origen, l'evolució i el final d'un cicle històric, d'una banda, i, de l'altra, que la història de la sala de les nines, reescrita per Rodoreda, Oliver i Serra, no és una història *original*, sinó la reescriptura d'un text canònic anterior: *Le Docteur Pascal* (1893), la novel·la que tanca el cicle dels Rougon-Macquart, d'Émile Zola, conegut per Joan Mayol.

Per a Ortega, a l'etapa tradicionalista d'un cicle històric, l'activitat intel·lectual de l'home consisteix a «recordar el repertorio de creencias recibidas de los antepasados», mentre que a l'etapa racionalista l'home rebutja aquestes creences «y en su lugar aspira a producir un pensamiento nuevo» que no recolza en la tradició:

> Este pensamiento, que no viene de la colectividad inmemorial, que no es el de los «padres», esta ideación sin abolengo, sin genealogía, sin prestigio de blasones, tiene que ser hija de sus obras, sostenerse por su eficacia convictiva, por sus perfecciones puramente intelectuales. En una palabra: tiene que ser una razón. (1957e, p. 213)

Si Don Andreu apel·la a la «tradició» per justificar que el dia de sant Miquel sempre ha predicat que els senyors descendeixen de la Conquesta, ho fa perquè representa l'etapa tradicional del cicle històric, que accepta, sense qüestionar-les, les creences rebudes dels avantpassats. Don Toni, en canvi, representa l'etapa racionalista i per això és essencialment fill de les seves obres, un home que se sosté gràcies a la capacitat de convèncer, al refinament o a la perfecció intel·lectual, i no gràcies al prestigi d'un nom en què no creuen ni ell ni Dona Maria Antònia.

Si interpretem la figura de Don Toni com una personificació del «pensamiento nuevo» oposat a la tradició, estarem en condicions d'entendre per què ni ell ni Dona Maria Antònia no creuen en el seu nom, i per què la novel·la planteja amb insistència la qüestió de la il·legitimitat dels Bearn i de les famílies poderoses. Al capdavall, com acaba dient el Vicari, «[t]ots som fiis de ses nostres obres».

A «Una interpretación de la historia universal», Ortega parla dels diferents règims polítics de la Roma antiga i comenta el caràcter canviant, indecís, dels títols que s'autoconcedien els emperadors romans, el fet que no sabien exactament quin títol donar a la seva funció. Sota aquest fenomen a primera vista sorprenent, Ortega hi endevina «una realidad humana tremenda» (1962, p. 97), que és la il·legitimitat. Els emperadors romans exercien el poder sense saber per què l'exercien, com tampoc ho sabien els romans i els pobles dominats per Roma. A l'època de l'imperi, Roma havia entrat «en esa zona a que un día han llegado casi todas las historias que conocemos: a la zona en que la legitimidad ha desaparecido de su mundo» (1962, p. 98). L'esvaniment de la legitimitat no es deu pas a la usurpació fraudulenta i transitòria del poder per part d'uns malfactors que enderroquen el govern legítim. Es tracta d'un fenomen molt més greu:

> No es que no se quisiese reconocer una legitimidad: es que no la había —la preexistente se había evaporado. Nadie tenía una idea clara y en que creyese firmemente sobre quién debía legítimamente mandar. Alguien tenía que ser, pero nadie po-

> seía, en las mentes de los ciudadanos, títulos legítimos para ello. En cierto momento la historia de una civilización desemboca en el ámbito desazonador, tal vez pavoroso, de la ilegitimidad. (1962, p. 98)

Ortega distingeix tres etapes en la formació de l'Estat i, específicament, de l'Estat romà. La primera etapa correspondria a una societat primitiva, sense Estat, en què ningú no exerceix una autoritat col·lectiva, acceptada per tothom. «El Estado primigenio, la autoridad originaria surge sólo de modo discontinuo y súbito en las situaciones extremas» (1962, p. 104), quan la societat primitiva, la tribu, s'enfronta amb un perill, amb la fam, etc. És aleshores que apareix d'una manera espontània «un hombre con más coraje y destreza guerrera que los demás, más capaz de organizar, de tramar ardides o de hallar recursos» (1962, p. 104), i els altres el segueixen perquè es guanya la seva confiança. Aquest individu valent, «capaz de crear un proyecto o programa [...] de acción común» (1962, p. 105) i d'endegar el que calgui per aconseguir l'èxit de l'empresa col·lectiva, és l'*imperator*. Per tant, el cabdill o *imperator* ho és en funció d'una circumstància concreta, no pas perquè tingui cap dret a ser-ho. Això implica que el cap d'Estat pot ser qualsevol membre de la tribu, un home qualsevol, un individu sense cap títol legítim, «porque no existían títulos ni atribuciones legales, porque no había ley, porque no había aún legitimidad» (1962, p. 106).

A la segona etapa, la vida de la tribu ha evolucionat i s'ha fet més complexa: la tribu és més gran, s'ha produït una millora de la tècnica material, i els conflictes entre els homes, que sovint tenen a veure amb la propietat de la terra, es resolen per mitjà de fórmules de compromís que amb el temps seran la base del dret privat. Paral·lelament, va madurant una concepció de la vida i del món que, en el cas de Roma i de tots els pobles, només pot ser una concepció religiosa. Roma és un poble religiós, d'una religiositat elemental, que envaeix els diversos àmbits de la vida. A la vida de Roma, gairebé tots els actes públics i privats requereixen uns ritus molt precisos, i dels ritus principals, relacionats amb la vida pública, ja no se'n pot encarregar un qualsevol. Se n'encarreguen ciertos hombres pertenecientes a determinadas familias que a lo largo de los oscuros siglos se habían ido adelantando, a la vez, por su valor guerrero, por el acopio de riquezas y por su religiosidad. (1962, p. 107)

El director de sacrificis, el *rex*, és «la primera autoridad estable y la primera facción de Estado permanente» (1962, p. 107). El *rex* és el sacerdot suprem i acapara totes les competències judicials, legislatives i militars de l'Estat. La institució de la reialesa té, doncs, un origen religiós. A diferència del cabdill o *imperator* de la societat primitiva, el *rex* ja no sorgeix espontàniament, a conseqüència d'una situació molt concreta, sinó que és rei perquè té dret a ser-ho,

y tiene derecho porque todo su pueblo cree que los dioses quieren que lo tenga, habiendo otorgado a la sangre de su familia ese don de dar eficacia a los ritos, esa gracia màgica o, como los griegos decían, *carisma*, de estar más cerca de los dioses que los demás. (1962, p. 108)

La monarquia representa la legitimitat pura. A Roma, aquesta legitimitat serà substituïda per una legitimitat republicana, que ja no emana de la gràcia divina, sinó de la voluntat del Senat i del poble, i «es también *o aún* efectiva legitimidad, pero [...] ya en forma deficiente, instaurada, superficial y sin raíces profundas en el alma colectiva» (1962, p. 113).

La tercera etapa de l'Estat romà coincideix amb la legitimitat afeblida, deficient, de la república. «Para el romano de la república es el Senado la institución que representa la más auténtica y venerable legitimidad» (1962, p. 115), perquè el Senat és la institució que preserva la monarquia sense preservarne els inconvenients. Els romans de la Roma republicana creuen en l'autoritat del Senat, però també s'adonen que és una institució anacrònica i que els problemes del present exigeixen noves institucions, la validesa de les quals s'ha de mesurar per l'eficàcia, no per la gràcia divina o per la tradició. El present de la Roma republicana no és pròpiament el Senat, no són els patricis, sinó la plebs:

> Estos ciudadanos que en número representan una arrolladora mayoría, que crean y poseen la nueva riqueza del comercio, la industria, y que financian el Estado como contratistas de las rentas públicas son, sin duda, el efectivo presente. (1962, p. 116)

Des de l'adveniment de la república fins a l'any 190 a.C., a Roma coexisteixen un passat legítim i un present il·legítim i puixant, que s'afirma a si mateix. És per aquesta dualitat del passat legítim i «la germinante ilegitimidad» (1962, p. 116) del present que s'explica la feblesa, el caràcter deficient de la legitimitat republicana.

El concepte de legitimitat es pot resumir així:

> Algo es jurídicamente legítimo —el rey, el Senado, el cónsul— cuando su ejercicio del Poder está fundado en la creencia compacta que abriga todo pueblo de que, en efecto, es quien tiene derecho a ejercerlo. (1962, p. 118)

La creença que el rei o una institució com el Senat tenen el dret de governar forma part d'una concepció religiosa del món compartida per tot un poble. Quan aquesta concepció s'esberla, la legitimitat s'afebleix o es dissol,

> [y] como eso acontece irremediablemente en el proceso de toda historia, llega sin remedio en ella una fecha en que los hombres, como si dijéramos al levantarse por la mañana, se encuentran con que ya *no hay* legitimidad —se ha volatilizado—, aunque nadie haya ni siquiera intentado quebrantarla. (1962, p. 118)

Ortega planteja la diferència entre la Roma vella, immemorial, i la Roma republicana en termes de consanguinitat i falta de consanguinitat. D'una manera real o fictícia, els ciutadans de la Roma antiga tenien un progenitor comú, «[e]ran grupos consanguíneos, eran la Roma que venía de un inmemorial y como divino pasado» (1962, p. 126). En canvi, els homes de la nova Roma «no tienen conexión alguna ni consanguinidad con ninguna de esas *gentes* o viejas familias, sino que simplemente están allí, cada cual por sí» (1962, p. 126). El binomi legitimitat / il·legitimitat equival a tradició / modernitat. Així doncs, la història d'un poble passa per l'establiment d'una legitimitat i per la seva pèrdua posterior:

> a todo pueblo le llega un momento en el cual descubre la *modernidad invasora* de su vida frente a la *tradicionalidad legítima* de la antigua. Toda modernidad es ya comienzo de ilegitimidad y de inconsagración. (1962, p. 129)

La modernitat és un pas ineluctable per a tots els pobles. La riquesa hi porta, i «modernidad es germinante ilegitimidad, vida sin firmes sacramentos» (1962, p. 130).

La modernitat implica la pèrdua de legitimitat, però també una sèrie d'avantatges respecte de la vida legítima. Ara bé,

> [e]stas ventajas de la modernidad son limitadas a su vez por nuevas desventajas. De todo lo humano puede decirse que es, a la vez, natal, porque algo nace y se crea en ello, y mortal o fatal, porque lleva dentro de sí su congénito *veneno* y la causa de su propia exterminación. (1962, p. 130, la cursiva és meva)

Ortega matisa que el concepte de «riquesa» no s'ha d'entendre en un sentit purament econòmic, sinó que significa «la abundancia de posibilidades en todas las esferas de la vida» (1962, p. 136). L'home tradicional només coneix una manera de pensar i d'actuar, la que hereta del passat. Ara bé, un factor importantíssim de la riquesa d'un home o d'un poble és el contacte amb maneres de pensar diferents de la seva, que li ofereixen una sèrie de possibilitats davant les quals ha de triar. Per aquí Ortega torna a la qüestió del racionalisme: la raó sorgeix perquè l'home ha de triar, provisionalment o definitiva, entre les maneres de pensar i de viure que se li ofereixen. L'home tradicional no tria ni qüestiona la seva manera de pensar i de viure, i confon les seves creences, la seva fe, amb la realitat. «En cambio, la razón es constitutivamente titubeo, vacilación, duda ante ese teclado de múltiples posibilidades de pensamiento, y por eso es incuestionablemente menos firme que la fe» (1962, p. 144).

«Una interpretación de la historia universal» desenvolupa la teoria del cicle històric esbossada a «El ocaso de las revoluciones» i ens ajuda a *confirmar* l'origen plebeu dels Bearn així com el perfil terminal de Joan Mayol, que personifica l'àmbit paorós de la il·legitimitat en què desemboca tota civilització. «Una interpretación...» *explica* la qualitat màgica, el «carisma», del nom de Bearn; l'opinió de Don Toni i Dona Maria Antònia que les famílies es formen «per decantació» al llarg del temps; la seva falta d'entusiasme per la reialesa; la porositat de Don Toni a les múltiples possibilitats del pensament o, en darrer terme, el fet que els Bearn morin enverinats: tot el que és humà «lleva dentro de sí su congénito veneno y la causa de su propia exterminación». Per això quan dóna permís a Joan Mayol per prologar les *Memòries*, li suggereix: «si sa meva mort no fos 'correcta' [...], la podries presentar com una conseqüència natural de sa meva vida» (p. 56). En fi, «Una interpretación...» també *explica* que sigui precisament un veterinari (la seva actitud relativa al preu de sanar cada porc i la «diatriba» que llança «contra els qui no treballen» davant madò Francina el converteixen en un representant dels creadors de la riquesa del comerç), i un veterinari *republicà*, el personatge que critica l'endarreriment dels senyors, el seu caràcter obsolet: «Tot això de senyoriu són veieses manades a retirar» (p. 43).

Castellanos assenyala que Don Toni i Joan Mayol exerceixen «funcions paral·leles» en tant que «creadors» (1995, p. 82) del Bearn mític, oposat al Bearn real, del qual donen fe els papers de l'arxiu de la casa (Don Toni recrea Bearn a les seves *Memòries* i Joan Mayol a la seva carta), però que «dels dos, només Joan Mayol podia ser el creador del mite de Bearn», perquè «només ell [...] és prou extern a Bearn com per poder-se'l inventar» (1995, p. 84). Del que he dit abans es desprèn que, efectivament, només Joan Mayol pot crear el mite de Bearn perquè n'és l'últim representant i el que està destinat a perdre'l, el que de fet ja l'ha perdut («ja el mir d'enfora» [p. 116]). El mite és obra de l'ànima envilida, que necessita aferrar-se al seu refugi. Per crear-lo cal que sacrifiqui la realitat, que destrueixi els papers de la sala de les nines. Aquest sacrifici fa possible «la màgica resurrecció d'una altra realitat, nova i immortal, mítica, inabastable ja als homes» en què els Bearn *reals* «[s]ón ja, només, misteri i llegenda» (Castellanos 1995, p. 89). Ortega ens aclareix el sentit del misteri: es tracta del pudor de la història. Per què, però, la llegenda?

Al començament de *Le Docteur Pascal*, el protagonista de Zola és un metge solter, sense fills, que s'acosta a la seixantena i viu a Plassans, a la finca de La Souleiade, amb Clotilde, una neboda seva, i Martine, una criada avara i religiosa que s'encarrega de l'administració de la casa. Pascal és un home bo, d'una bondat que es nodreix de la passió per la vida, i un home tolerant, que té prou diners per no haver-se'n de preocupar i no cobra mai la visita als seus pacients.

A més de metge, Pascal és un investigador que estudia les lleis de l'herència. Fa més de trenta anys que escriu sobre qüestions científiques i guarda «un munt extraordinari de papers, de dossiers, de manuscrits», entre els quals hi ha «les seves grans obres sobre l'herència» (Zola 1967, p. 917), a l'armari d'una sala molt gran de La Souleiade. Aquests dossiers contenen dades sobre el naixement, la mort i tota mena d'avatars de la vida dels Rougon-Macquart.

A l'habitació, on també sol guardar l'arbre genealògic de la família, que sempre està al corrent, Pascal hi té un laboratori: «Era allà que es dedicava a les preparacions especials, i no en parlava amb ningú» (1967, p. 923). D'aquest laboratori, Mme. Félicité Rougon, mare de Pascal i àvia de Clotilde, en diu «la cuina del dimoni» (pp. 923, 934) i deixa caure que el seu fill té fama de bruixot entre les dones de Plassans a causa de les investigacions que hi realitza (1967, p. 926).

Pascal només creu en la vida. Per a ell, «[l]a vida [és] l'única manifestació divina» (1967, p. 947), i l'herència n'és l'instrument. Conèixer les lleis de l'herència obriria la possibilitat de construir un món feliç: «El seu somni desembocava en aquesta idea d'accelerar el benestar universal, la ciutat futura de perfecció i felicitat, intervenint, assegurant la salut a tots» (1967, p. 948). Com a científic, Pascal és «un pioner» (1967, p. 949), que, inspirat per la lectura d'un llibre del segle XV, fabrica un licor per «regenerar» (1967, p. 948) les víctimes de malalties hereditàries amb una picada de cervell d'ovella i aigua destil·lada. Poc abans de morir, quan fa saber a Ramond, el metge jove de Plassans, que li confia els seus manuscrits i li ofereix el seu testament científic, «[té] la consciència tranquil·la d'haver estat només un pioner solitari, un precursor, esbossant teories, practicant a les palpentes, fallant a causa del seu mètode encara primitiu» (1967, p. 1176).

Com a «savi» (1967, p. 932), Pascal té fe en la raó i en el progrés de la humanitat dirigit per la ciència. El que ell anomena «el meu *Credo*» (1967, p. 953) és un credo racionalista, oposat al de Clotilde, que afirma l'existència de l'inconegut, del misteri, una dimensió de la realitat de la qual el seu oncle prescindeix però que a ella la neguiteja molt.

Clotilde no té permís per tocar els dossiers de Pascal i no ha entrat mai a la seva habitació, «on li agradava amagar certes obres, i que estava tancada, com un tabernacle» (1967, p. 939). Però Mme. Rougon vol que el convenci que cal cremar tots els seus papers per evitar que algun dia ocasionin la deshonra de la família:

> —Molt bé! Criatura [...], Pascal t'estima i potser t'escoltaria, li hauries de suplicar que cremés tot això, perquè si es morís i algú trobés les coses terribles que hi ha allà dins, tots seríem deshonrats! (1967, p. 929)

Clotilde i Martine estan disposades a fer el possible per salvar l'ànima racionalista de Pascal, i Mme. Rougon utilitza la seva religiositat per intentar que li destrueixin els papers. Incordiat per la seva neboda, que a més dels papers voldria que cremés tots els llibres, Pascal se sent presoner a casa seva i té por de perdre la seva obra en un descuit, experiència que li resultaria molt dolorosa: «Els descobriments que ha fet, els manuscrits que pensa deixar, són el seu orgull, són els seus fills, i destruir-los, cremar-los, seria cremar-lo a ell» (1967, p. 996). A Pascal no li costa gaire imaginar-se que, si es morís, Clotilde, la neboda estimada, destruiria la seva obra, i procura fer-li entendre que això seria un crim: «Saps que seria un autèntic crim, com si assassinessis algú? I quina covardia abominable, matar el pensament!» (1967, p. 996).

Com que Pascal no cedeix a les súpliques de Clotilde, la mateixa Mme. Rougon, sempre preocupada pel risc que un dia els papers vagin a parar a mans estranyes— «[p]ensa per un moment [demana al seu fill] que et mors de sobte i que aquests papers cauen en mans estranyes: és la deshonra per a tots nosaltres» (1967, p. 998)—, intervé perquè cremi els dossiers. Per a Mme. Rougon és inacceptable que Pascal s'exposi a embrutar el nom dels Rougon-Macquart, però ell defensa que la veritat és necessària i es nega a cremar res.

Una matinada, Pascal haurà de passar pel tràngol d'enxampar la seva neboda, que li ha agafat la clau de l'armari, quan és a punt d'empaquetar els papers per enviar-los a Mme. Rougon. Després d'evitar el desastre i de recuperar la calma, decideix que la noia, a qui fins aleshores havia volgut estalviar el coneixement d'una veritat terrible, «la història de la nostra família, que és la història de totes, de la humanitat sencera: molt de mal i molt de bé...» (1967, p. 1004), llegeixi els papers en qüestió. Ara Pascal està segur que el coneixement de la història familiar, de la veritat dels Rougon-Macquart, farà de Clotilde una persona valenta i tolerant, i el primer que li ensenya és l'arbre genealògic, resultat de vint anys de feina i de l'aplicació d'unes lleis de l'herència establertes per ell mateix.

En el transcurs d'aquesta matinada, Pascal explica a Clotilde que als dossiers hi ha tot un món: «és un món, una societat i una civilització, tota la vida hi és, amb les seves manifestacions bones i dolentes», que la història de la família és «un document històric», ja que

> explica el Segon Imperi, del cop d'estat a Sedan, ja que els nostres han sortit del poble, s'han escampat per tota la societat contemporània, han envaït totes les situacions, empesos per la crescuda dels apetits, per aquest impuls essencialment modern, aquesta fuetada que llança les classes baixes cap a la fruïció, en marxa a través de l'organisme social... (1967, p. 1015).

Segons Pascal, als dossiers «[h]i ha de tot, coses excel·lents i les coses pitjors, coses vulgars i sublims, les flors, el fang, els sanglots, les rialles, el mateix torrent de la vida que arrossega la humanitat sense parar!» (1967, p. 1016). Així, Clotilde s'assabenta dels crims i les misèries del seu pare, el seu germà o la seva àvia, que té les mans tacades de sang innocent, i també s'assabenta que entre els seus parents hi ha individus tarats, viciosos, assassins, tota «la monstruosa floració de l'arbre humà» (1967, p. 1022).

El coneixement d'aquesta veritat terrible l'atordeix, però no li fa cap mal. Al contrari, se sent reconfortada per la lliçó que hi ha molt de bo, encara que hi hagi molt de dolent, la lliçó que, malgrat tot, el mal no és mai absolut, que la raó de la vida rau simplement en l'esforç de viure i que «en aquest món, l'única pau possible es troba en l'alegria d'haver realitzat aquest esforç» (1967, p. 1024).

Coneguda la veritat sobre els Rougon-Macquart, semblant a la de totes les famílies, Clotilde renuncia de bon grat a destruir l'obra del seu oncle, que a partir d'ara veurà d'una altra manera. Més endavant, quan ja s'hagin convertit en amants, Pascal fins i tot li demanarà que, si ell es mor, guardi els dossiers i faci arribar la resta dels manuscrits a Ramond.

La inesperada ruïna econòmica de Pascal posa en relleu el seu desinterès pels diners, la seva incapacitat per administrar el que li queda, que és molt poc. Amb el seu optimisme habitual, regala un collar de perles a Clotilde quan la situació a La Souleiade ja és molt precària malgrat els equilibris de Martine perquè no falti el menjar a taula. De fet, la situació és tan precària que Pascal fins i tot calcula hipotecar la finca. Al final, amb el cor trencat, aprofitarà la mala salut de Maxime, el germà de Clotilde, per allunyar la seva amant/ neboda d'una vida pobra, sense futur, poc respectable des del punt de vista de la moral convencional.

Víctima de l'esclerosi (el preu que ha de pagar per la seva herència fisiològica), Pascal es mor havent recuperat bona part dels diners perduts, però sense tornar a veure Clotilde, que no arribarà a temps a La Souleiade, ni conèixer el seu fill, encara per néixer.

Morts la tieta Dide, l'oncle Macquart i el petit Charles, nebot de Clotilde, tres obstacles considerables a l'hora de construir la llegenda dels Rougon-Macquart, i mort Pascal, Mme. Rougon és conscient que només els dossiers amenacen aquesta llegenda que l'obsedeix:

> Només quedaven els dossiers, els abominables dossiers, amenaçant la llegenda triomfal dels Rougon que ella havia dedicat la vida a crear, que era l'única preocupació de la seva vellesa, l'obra al triomf de la qual, obstinadament, havia consagrat els últims esforços de la seva activitat i la seva astúcia. (1967, p. 1193)

La destrucció dels papers del seu fill comportaria la destrucció del passat i de la veritat, el triomf de la llegenda i, per tant, de la mentida: «Significaria l'anihilació del passat execrable, significaria la glòria dels seus, conquerida amb tantes dificultats, lliure d'amenaces, badant-se finalment amb llibertat, imposant la seva mentida a la història» (1967, p. 1193).

Per aconseguir el seu propòsit, Mme. Rougon no dubta a valer-se de Martine, «aquesta criatura ingènua, enfonsada en les creences d'una religió estreta» (1967, p. 1193), fent-li creure que els papers impedeixen a Pascal d'accedir al paradís. Mentre Clotilde dorm al costat del llit on reposa el cadàver del seu oncle/ amant, una Mme. Rougon «fanàtica, exaltada per l'odi a la veritat, per la passió d'anihilar el testimoni de la ciència» (1967, p. 1199) crema els papers amb l'ajuda de Martine. Posseïdes per «una febre destructora salvatge» (1967, p. 1199), dediquen dues hores a fer cendres l'obra inèdita de Pascal, la seva feina d'investigador, les notes, els dossiers, pràcticament tot excepte l'arbre genealògic, perquè no el poden trobar. Quan Clotilde es desperta i s'adona del que està passant, ja és massa tard per salvar res de valuós. Mme. Rougon respondrà a les acusacions i al desesper de la noia reivindicant l'ambició de la seva vida:

> Saps molt bé [...] que només he tingut una ambició, una passió, la fortuna i la dignitat dels nostres. He lluitat, he vetllat tota la vida, i si he viscut tant de temps és per eliminar les històries infames i deixar de nosaltres una llegenda gloriosa... (1967, p. 1202)

Al món de *Bearn* hi ha nombrosos manlleus de la novel·la de Zola, començant per la possessió, que recorda vagament la finca de La Souleiade, o el secret que envolta la sala de les nines, el *tabernacle*[19] de Bearn. Don Toni és, en certs aspectes, una recreació del metge de Zola, i Joan Mayol reuneix en un sol personatge característiques de Martine i de Mme. Rougon.

Com Pascal, Don Toni és un home bo, generós, indiferent als diners: ja hem vist que Joan Mayol el considera «esburbat [...] en matèries econòmiques», mentre que Clotilde pensa: «Ah! Pobre mestre [Pascal], quin home de negocis tan patètic!» (1967, p. 1110). Com Pascal, Don Toni és «un precursor» amb «intuïcions genials» (p. 25), un científic que «[p]rop de la seva cambra» (p. 73) té «un petit laboratori on [fa] anàlisis i [destil·la] sucs», i defensa un credo racional, que prescindeix de la part meravellosa de l'existència, oposat al credo màgic de Dona Maria Antònia i Joan Mayol, semblant al de Clotilde i Martine. El credo racional de Pascal és compatible amb la idea que «la persona que guareix només és un endevinaire feliçment dotat» (1967, p. 1088), i Don Toni no s'està de dir que «sa ciència no podrà, a la llarga, desprendre's d'es seu caràcter de bruixeria» (p. 36) i que «[t]ota sa Medicina és bruixeria» (p. 190). Com l'obra de Pascal, les *Memòries* de Don Toni ocupen el lloc del(s) fill(s) legítim(s) que no ha tingut i evidencien el seu afany de contribuir al bé de la humanitat, d'edificar la ciutat feliç del futur: «Voldria explicar l'harmonia dels mons i trebaiar per sa concòrdia...» (p. 107). Si Pascal confia la seva obra a Clotilde i a Ramond, Don Toni la confia, en aquest cas d'una manera irresponsable, a Joan Mayol. Com Pascal, és clar, Don Toni té una aventura amorosa rejovenidora amb la seva neboda (Xima i Clotilde són personatges molt diferents, però totes dues han estat recollides pel(s) seu(s) oncle(s)). Don Toni es gasta «una fortuna» (p. 47) amb Xima i, a més, li regala el collar de diamants de la seva mare, «l'única joia de valor que quedava a la casa» (p. 97), gest que calca el de Pas-

19. Sobre el *tabernacle* de la sala de les nines, vegi's Albertocchi 1989 i Martínez Gili 2003.

cal regalant un collar de perles a Clotilde enmig d'una ruïna econòmica temporal, que a *Bearn* es transformarà en definitiva.

El catolicisme integrista de Joan Mayol, el seu amor per Don Toni, la seva fidelitat i veneració per la figura de l'amo, així com la seva avarícia i els esforços que fa per evitar la ruïna de la casa i perquè els senyors no notin gaire la precarietat de l'existència («[d]e vegades he hagut de fer equilibris per reunir dos reals a fi que [als senyors] no els mancassin el dematí la xocolata i les ensaïmades» [p. 58]) són una rèplica de la religiositat primitiva de Martine, de l'amor que sent per Pascal i de la seva lluita solitària contra l'adversitat econòmica a La Souleiade mentre el metge i Clotilde frueixen del seu idil·li.

Els manlleus són nombrosos, però sens dubte entre els més productius a l'hora d'interpretar *Bearn* hi ha els que tenen a veure amb l'arbre genealògic dels Rougon-Macquart i amb l'actitud de Mme. Rougon envers els papers de Pascal. De les revelacions de Pascal sobre l'arbre genealògic dels Rougon-Macquart i el contingut dels seus dossiers podem inferir el que desconeixem de l'arbre genealògic dels Bearn i de l'arxiu de la sala de les nines. L'arbre dels Rougon-Macquart i els dossiers del metge de Zola ens ajuden a contrarestar la pèrdua d'informació causada per l'entropia. De fet, ens ajuden a veure que, tot i ser fragmentària, la informació sobre l'arbre genealògic i l'arxiu de la casa de Bearn que es troba a l'interior de la novel·la resulta suficient: la història dels Bearn és, com la dels Rougon-Macquart, la història de totes les famílies. Hi ha bo i dolent, *peix i carn*. És una història, doncs, amb «els seus secrets graciosos i terribles» (p. 234): la història d'individus admirables i la dels «punts escapats», la dels «afront[s]» que Joan Mayol —un Joan Mayol que, recordem-ho, ha llegit l'obra de Zola, o almenys en té notícia— no gosa fer servir per explicar la immoralitat de Xima.

El desig de Mme. Rougon que Pascal cremi els seus papers, i el desig inicial de Clotilde que cremi llibres i papers, informen el desig de Dona Maria Antònia i del Vicari que Don Toni cremi la seva biblioteca i l'*auto-mobile*. La por de Mme.

Rougon que els papers del seu fill acabin en mans estranyes, la por de la deshonra, a *Bearn* pren una forma concreta amb la visita dels Rosenkreuzer i el seu interès per la figura de Don Felip, que és un exemple del que hi ha de *dolent* entre els Bearn, de la mateixa manera que Charles, amb els seus «vicis inconfessables» (1967, p. 965) i el seu efeminament, és un exemple del que hi ha de *dolent* entre els Rougon-Macquart. Cremant l'arxiu de la sala de les nines amb l'ajuda d'un criat, Joan Mayol reprodueix el paper de Mme. Rougon cremant els papers de Pascal amb l'ajuda de Martine. Amb la crema de l'arxiu, el sacerdot persegueix la mateixa finalitat que Mme. Rougon amb la seva orgia de destrucció: anihilar la veritat, el Bearn real, perquè triomfi la llegenda. *Le Docteur Pascal* denuncia el caràcter criminal d'aquesta destrucció per mitjà de la veu narradora, de Pascal i, en darrer terme, de Clotilde. A *Bearn*, en canvi, la narració està en mans de l'assassí de la veritat, de l'enemic de la Il·lustració («una falsa filosofia» [p. 112]) i del progrés, que, per descomptat, presenta la seva acció destructora des d'una perspectiva positiva, «amb la consciència d'haver interpretat els desigs del [seu] protector» (p. 232). És clar que si llegim *Bearn* a través del filtre de *Le Docteur Pascal*, la crema de la sala de les nines també adquireix la dimensió d'un crim abominable.

L'aristocràcia dels Bearn

Don Toni sap que l'arbre genealògic dels Bearn conté «les proves de la seva bastardia», que els Bearn són uns «suplantadors», i Dona Maria Antònia ho sospita. Però ells es consideren «senyors»: només cal pensar en la seva reacció quan el dia de sant Miquel Don Francesc, el Vicari nou, parla dels Bearn com «d'una 'devota família' en lloc d'una 'noble família'» (p. 122). Joan Mayol, els criats de la casa i els bearnesos humils, també els hi consideren. I és que, malgrat la seva bastardia, ho són.

Don Toni accepta que l'aristocràcia és una classe obsoleta:

«Es senyors estan caducats», confia sovint a Joan Mayol, que reflexiona així sobre aquesta idea del seu protector:

> En això coincidia amb el seu enemic J. J. Rousseau, però únicament en això, ja que en el fons era aristocràtic i semblava col·locar, com Sèneca, el prestigi intel·lectual per damunt la mateixa fraternitat humana. (p. 25)

Benet i Jornet cita uns quants fragments de la novel·la que fan avinent que no és pas només el món dels Bearn que s'ensorra, sinó el de l'aristocràcia en general, i es pregunta: «Fins a quin punt cal identificar [...] l'aristocràcia que s'està morint i que don Toni representa, amb la classe social anomenada aristocràcia?» (1975, p. 118). De les raons del menyspreu de Don Toni per la classe política i de la importància que atorga al prestigi intel·lectual, més que a la fraternitat, en dedueix que «per a Villalonga, l'únic important és la intel·ligència, i [...] aquesta configura la veritable aristocràcia» (1975, p. 118). Podríem afinar més i dir que Don Toni és un aristòcrata en el sentit orteguià de la paraula.

Una premissa fonamental del pensament d'Ortega és que tota societat es compon d'una minoria selecta, un grup reduït d'homes excel·lents que exerceixen un paper director, i una massa dòcil, permeable a la influència d'aquesta elit. A *España invertebrada* (1921), per exemple, un llibre dedicat a diagnosticar «la grave enfermedad que España sufre» (1957j, p. 38), defensa que «[u]na nación es una masa humana organizada, estructurada por una minoría de individuos selectos» (1957j, p. 93) i que sense aristocràcia no hi ha societat. Quan la massa no representa el paper que li correspon, el de seguir la minoria directora, «la nación se deshace, la sociedad se desmembra, y sobreviene el caos social, la invertebración histórica» (1957j, p. 93), que seria la malaltia espanyola. L'elit de qualsevol societat és l'aristocràcia, i l'aristocràcia es defineix per la seva excel·lència. Per això «[l]as épocas de decadencia son las épocas en que la minoría directora de un pueblo [...] ha perdido sus cualidades de excelencia, aquellas precisamente que ocasionaron su elevación» (1957j, p. 97). Els conceptes d'aristocràcia i de massa no tenen res a veure amb factors econòmics o de posició social: «En toda clase, en todo grupo que no padezca graves anomalías, existe siempre una masa vulgar y una minoría sobresaliente», per bé que en una societat amb bona salut «las clases superiores [...] contarán con una minoría más nutrida y más selecta que las clases inferiores» (1957j, p. 103). L'excel·lència de l'aristocràcia justifica la seva exemplaritat, i de la dinàmica entre aquesta exemplaritat i la docilitat de la massa sorgeix el grup social: «He aquí el mecanismo elemental creador de toda sociedad: la ejemplaridad de unos pocos se articula en la docilidad de otros muchos» (1957j, p. 104). No és la violència del poder ni els interessos comuns el que impulsa els homes a formar una societat, sinó la capacitat de seducció de certs individus, que prové de la seva exemplaritat. L'única aristocràcia possible es basa en l'exemplaritat de la perfecció:

> No hay, ni ha habido jamás, otra *aristocracia* que la fundada en ese poder de atracción psíquica, especie de ley de gravitación espiritual que arrastra a los dóciles en pos de un modelo. (1957j, p. 105)

La rebelión de las masas (1930) trasllada la reflexió sobre l'Espanya malalta d'*España invertebrada* a la crisi europea desencadenada pel poder de la massa, traça el perfil psicològic de l'home-massa i efectua una distinció entre «vida noble» i «vida vulgar», entre «esfuerzo» i «inercia» (1957k, p. 180). Aquí Ortega especifica que «[l]a nobleza se define por la exigencia, por las obligaciones, no por los derechos. *Noblesse oblige*» (1957k, p. 182). La paraula «nobleza» hauria degenerat fins a significar «nobleza de sangre», una accepció que en principi no tindria res a veure amb el seu sentit propi, original:

> Noble significa el «conocido», se entiende el conocido de todo el mundo, el famoso, que se ha dado a conocer sobresaliendo sobre la masa anónima. Implica un esfuerzo insólito

> que motivó la fama. Equivale, pues, noble, a esforzado o excelente. (1957k, p. 182)

La vida noble és una vida projectada cap a un futur de superació. La noblesa implica «vida esforçada, puesta siempre a superarse a sí misma, a trascender de lo que ya es hacia lo que se propone como deber y exigencia» (1957k, p. 183). Es tracta, doncs, del pol oposat a «la vida vulgar o inerte» (1957k, p. 183) de l'home-massa, que és vida estàtica, tancada en si mateixa. La majoria dels homes i les dones «son incapaces de otro esfuerzo que el estrictamente impuesto como reacción a una necesidad externa», individus reactius que contrasten amb «los poquísimos seres [...] capaces de un esfuerzo espontáneo y lujoso» (1957k, p. 183). Aquests darrers

> [s]on los hombres selectos, los nobles, los únicos activos y no sólo reactivos, para quienes vivir es una perpetua tensión, un incesante entrenamiento. Entrenamiento = *áskesis*. Son los ascetas». (1957k, p. 183)[20]

Per la seva condició d'home culte, erudit, de «precursor» amb «intuïcions genials», de científic aficionat, d'escriptor «que es donava de veritat a les lletres» (p. 184), absorbit per la feina d'escriure les *Memòries*, Don Toni és l'individu eminent, que irradia exemplaritat i, per tant, aporta una de les peces del mecanisme «*ejemplaridad-docilidad*» que constitueix la base de «la coexistencia social» (Ortega 1957j, p. 107). Joan Mayol, procliu a la docilitat per la seva condició de subaltern, aporta l'altra peça d'aquest mecanisme. D'aquí el seu «encís» i la seva «fascinació» per l'«home extraordinari» (p. 25) que és Don Toni:

20. A *La deshumanización del arte*, Ortega ja havia introduït aquesta concepció d'una societat bipolar en el seu diagnòstic sobre l'art nou, que, des del punt de vista sociològic, tindria l'efecte de separar el públic en dos bàndols: un bàndol minoritari que s'hi mostra favorable i un bàndol majoritari que hi reacciona amb hostilitat. L'elit entén l'art nou. La massa, no.

El senyor exercia sobre mi com una fascinació. Dona Maria Antònia, que era tan bona, no m'inspirà mai l'interès d'aquella ànima que se disputaven Déu i el Dimoni sense que, a l'hora d'ara (aborrona sols de pensar-ho), es pugui saber qui ha guanyat en la lluita. (p. 18)

Era [Don Toni] hàbil sofista i dialèctic. Jo he considerat amb prevenció les seves ensenyances, però no sempre m'he pogut sostreure al seu encís. (p. 24)

Joan Mayol divideix en dues parts la «vida estranya» de Don Toni:

La primera es podria titular *Sota la influència de Faust* i respon a l'època tempestuosa. La segona discorre més bé dins la calma d'aquestes muntanyes i es podria dir (si bé en un sentit un poc irònic, perquè la calma era més aparent que real) *La pau regna a Bearn*. (pp. 18-19)[21]

A la minoria selecta, hi ha «hombres de acción y hombres de contemplación» (Ortega 1957l, pp. 155-156). Don Toni, o almenys el Don Toni de la segona part, el que ha comprès que la vida només es pot eternitzar a través de la memòria, és un home contemplatiu, un escriptor, un intel·lectual. La seva funció és, doncs, incompatible amb la política:

La inteligencia no debe aspirar a mandar, ni siquiera a influir y salvar a los hombres. No es ésta la forma en que puede ser más provechosa sobre el planeta. No es adelantándose al primer rango de la sociedad a la manera del político, del guerrero, del sacerdote, como cumplirá mejor su destino, sino al revés, recatándose, oscureciéndose, retirándose a líneas sociales más modestas. (Ortega 1957m, pp. 490-491)

Per això sent «aversió» per la classe política de l'època:

21. Les dues parts de la vida de Don Toni fan pensar en la biografia dividida que, segons Ortega, era freqüent entre els renaixentistes: «Nada más frecuente en aquel tiempo que biografías divididas por la mitad en una primera etapa libertina o mundanal y una segunda de ascetismo en que reniegan de la primera» (1958, p. 115). A diferència dels renaixentistes, Don Toni no renega de res.

Per a ell, els moderns polítics constituïen el pitjor de cada casa, entabanadors sense cultura ni sentit estètic; però, en tal aversió, més que l'esperit de justícia hi entrava el seu temperament d'escriptor. (p. 172)

Don Toni detesta els polítics com el marquès de Collera, que li sembla «més buit que un caragol» (p. 131).[22] A diferència d'aquest, ell és l'home que es retira, que s'obscureix, i si la calma en què transcorre la segona part de la seva vida només és una calma superficial, sobretot en els darrers anys («[i]magín que en ell la pau dels darrers anys degué resultar més aparent que real» [p. 193], conjectura Joan Mayol) és perquè, després de la seva etapa llibertina, s'ha convertit en un asceta, en un home noble per a qui la vida constitueix «una perpetua tensión, un incesante entrenamiento», un entrenament i una tensió que tenen a veure amb els «temes de l'esperit»:

Crec que ja t'he dit [...] que acostumava a dur perruca blanca i hàbit franciscà. Els qui relacionaven la seva vida passada i les seves converses, no sempre edificants, amb aquell hàbit, només hi veien la dissonància, que certament existia, però hi haurien pogut veure també les analogies (*vida recollida, amor als temes de l'esperit*) que no eren menys reals. (p. 23, la cursiva és meva)

[Per] a ell aquella perruca devia simbolitzar la cultura devuitesca, d'aparença frívola i en realitat exuberant de forces latents. (p. 72)

Els rols de gènere al servei d'una concepció del món

Ortega sempre parla d'un grup d'*homes* selectes. A *Bearn*, la intel·ligència i l'exemplaritat són l'àmbit de Don Toni. És ell qui té un credo racionalista que Dona Maria Antònia no comparteix malgrat «la seva intel·ligència i la seva intuïció» (p. 104), insuficients per comprendre el seu marit. Joan Mayol la

22. «Siendo la cultura un estuario construído para que en él circule la vida, queda, en ocasiones, vacío y hueco, como un caracol, sin animálcula. Esta es la cultura ficticia, ornamental, farsante» (Ortega 1957n, p. 85). A *Mort de dama*, el marquès de Collera és el màxim exponent d'aquesta cultura fraudulenta.

retrata com una dona intel·lectualment inferior a Don Toni: «Déu em perdoni si m'atrevesc a dir que Dona Maria Antònia, en presència del senyor, em feia la impressió d'un salvatge davant un piano» (p. 148).[23] Quan relata l'excursió de Don Toni pel cel de París en el globus dels germans Tissandier, el sacerdot especula sobre l'estat d'ànim de Dona Maria Antònia, que acaba de recordar fins a quin punt anys enrere ella mateixa i d'altres havien recelat de l'*auto-mobile*:

> Tal volta tenia remordiments per haver-se mostrat enemiga de l'invent, ara que la idea havia triomfat. Però així seran i han estat totes les Dones Maries Antònies de l'Univers. La senyora, forta i prudent com la Lia de la Bíblia, no era capaç de volada. (p. 150)

Més endavant ressalta el caràcter divergent de la vida dels esposos:

> Ambdós s'embarcaren en aventures molt diferents. Ella seguí sempre els camins coneguts i era tan impossible que s'extraviàs com que arribàs a cap resultat gloriós. Ell, al contrari, volgué descobrir territoris nous, doctrines inèdites. Així foren alguns sants i bastants d'heretges. (p. 183)

Durant la llarga separació del seu marit, Dona Maria Antònia «s'exercità en la pràctica de la religió i de les virtuts domèstiques» (p. 69), que configuren el seu àmbit, l'àmbit de l'àngel de la casa, el de les dones que no són *dolentes* com la Xima (en paraules del seu oncle / amant, «Na Xima [...] no passa d'esser allò que a França li diuen una *cocotte*» [p. 100]), tot i que Joan Mayol no dubta que, en un instant de la conversa mantinguda pels senyors quan ella decideix tornar a la possessió, Don Toni «[p]ensava [...] que totes les dones s'assemblen un poc» (p. 108).[24] En aquesta conversa, Don Toni afirma

23. Joan Mayol és un narrador misogin: «Les dones semblen de vegades folles o tan diferents de nosaltres que no les podem entendre» (p. 113).

24. Probablement perquè fa seva la misogínia d'Ortega: «La personalidad de la mujer es poco personal, o, dicho de otra manera, la mujer es más bien un género que un individuo. [...]. Ello es que la mejor lírica femenina, al desnudar

que no vol viure a Ciutat ni al poble, sinó a la possessió, i pregunta a la seva dona si s'avorrirà. Ella respon: «No. Començaré una vànova de ganxet» (p. 109). Un cop reconciliats, Dona Maria Antònia dirà al seu marit repetidament, d'una manera faceciosa, «que no l'havia trobat gaire a mancar perquè s'havia distret fent una vànova» (p. 69), i Joan Mayol informa que «Dona Maria Antònia havia començat la vànova de ganxet i el senyor escrivia» (p. 113), una distribució de funcions que Don Toni ja havia previst a la conversa esmentada: «Trebaiarem plegats, cadascú en es seu tros» (p. 109). Després de morir els senyors, Joan Mayol evocarà «les llargues converses» vora el foc amb Don Toni, «mentre Dona Maria Antònia resava o feia ganxet» (p. 63), perquè el «tros» d'ella, «un d'aquells éssers que saben compondre un cel amb els elements que els volten» (p. 116), és el de la religió i les virtuts domèstiques. La senyora és una Lia bíblica o una Penèlope mallorquina que cus tot esperant la reconciliació amb el seu marit i, quan aquesta ja s'ha produït, continua cosint per emplenar les hores de la vida a la possessió. La vànova, però, no l'acabarà mai:

> Li vaig replicar que tenien bona salut i que encara podien viure molts d'anys.
>
> —Serà allò que Déu voldrà —digué [Dona Maria Antònia]. I en una transició que semblava brusca però que no ho era perquè representava el fruit d'un ritme interior, afegí—: Mira que faig poca feina. Tan poca que no en faig gens. Entre jugar a cartes, que és un vici, anar p'es jardí o guaitar an es balcó... Oh, Déu meu... No sé quants d'anys fa que vaig començar una vànova de ganxet... Crec que fou quan vaig fer s'amistat amb En Tonet. [...]. A veure si no l'acabaré abans de morir-me.
>
> No la va acabar. No la tornà a prendre entre les mans, però Déu li concedí allò que demanava: la mort dels justs i no sobreviure a l'espòs. (p. 207)

Darrere les dicotomies raó / religió, escriure / cosir, ambició (o curiositat) / limitació, àmbit públic / àmbit privat represen-

---

las raíces de su alma, deja ver la monotonía del eterno femenino y la exigüidad de sus ingredientes» (1957d, pp. 433-434).

tades pels Bearn, hi ha el vell afany patriarcal de jerarquitzar la diferència entre gèneres, privilegiant sempre el paradigma masculí, que contamina algunes parcel·les del pensament d'Ortega:

> Todo hombre dueño de una sensibilidad bien templada ha experimentado a la vera de alguna mujer la impresión de hallarse delante de algo extraño y absolutamente superior a él. Aquella mujer [...] sabe menos de ciencia que nosotros, tiene menos poder creador de arte, no suele ser capaz de regir un pueblo ni de ganar batallas, y, sin embargo, percibimos en su persona una superioridad sobre nosotros de índole más radical que cualquiera de las que pueden existir, por ejemplo, entre dos hombres de un mismo oficio. Y es que las excelencias varoniles —el talento científico o artístico, la destreza política y financiera, la heroicidad moral— son, en cierta manera, extrínsecas a la persona, y por decirlo así, instrumentales. El talento consiste en una aptitud para crear ciertos productos socialmente útiles —la ciencia, el arte, la riqueza, el orden público. [...]. Este carácter extrínseco de los talentos se hace patente por darse a menudo en el hombre al lado de los más graves defectos personales. La excelencia varonil radica, pues, en un *hacer*; la de la mujer en un *ser* y en un *estar*; o con otras palabras: el hombre vale por lo que *hace*; la mujer por lo que *es*. (1957o, pp. 328-329)

Per això no cal que Dona Maria Antònia acabi la vànova començada. Només cal que cusi, és a dir, que *sigui*:

> El hombre golpea con su brazo en la batalla, jadea por el planeta en arriesgadas exploraciones, coloca piedra sobre piedra en el monumento, escribe libros, azota el aire con discursos y hasta cuando no hace sino meditar, recoge los músculos sobre sí mismos en una quietud tan activa, que más parece la contracción preparatoria del brinco audaz. La mujer, en tanto, no hace nada, y si sus manos se mueven, es más bien en gesto que en acción. Sobre un sepulcro de la vetusta Roma republicana, donde descansó el cuerpo de una de aquellas matronas genitrices de la raza más fuerte, se leen junto al nombre estas palabras: *domiseda, lanifica*: guardó su casa e hiló. Nada más. (1957o, pp. 329-330)

Contràriament a la de l'home, «la profunda intervención femenina en la historia no necesit[a] consistir en actuaciones, en faenas, sino en la inmóvil, serena presencia de su personalidad» (1957o, p. 329), que podem reconèixer en el tarannà de Dona Maria Antònia, en «la seva serena bondat», oposada a l'«esperit i els [...] enigmes desconcertants» (p. 27) de Don Toni. Quan es disposa a provar l'*auto-mobile* del seu marit, Joan Mayol la veu «serena, potser una mica pàl·lida, però digna i tranquil·la» (p. 111), i quan estigui a punt de morir, després d'haver menjat un dels bombons enverinats de Xima, li semblarà «serena i valerosa» (p. 220). Dona Maria Antònia «[d]uia la pau en si mateixa» (p. 115), i aquesta pau o serenitat la diferencia radicalment de Don Toni i del sacerdot:

> Els seus ulls blaus i tranquils no tenien res a veure amb els ulls petits i vius de l'espòs, voltats d'arrugues, ni amb els meus, massa negres i que poques vegades han conegut la ventura. En la seva serenitat no superada, ella hauria aconseguit, a qualsevol lloc del món, reviure la sentència del vell Horaci: «De tots els racons de la Terra aquest és el que millor em somriu». (pp. 115-116)

Potser per això Don Toni creu que «la llegenda [de l'escut dels Bearn], en lloc d'al·ludir a sang i a batalles, hauria pogut esser aquesta frase, que li atribueix [a Dona Maria Antònia]: 'No escoltaré cap veu que em contorbi'» (p. 121), i a les *Memòries* intenta descriure «sa seva maduresa plena de talent i serenitat» (p. 221).[25]

Exclosa de l'àmbit de la intel·ligència, o almenys de l'àmbit de la intel·ligència creadora, masculina, capaç d'actuar sobre el món, és Dona Maria Antònia qui, en perdre la memòria, assumeix la degeneració mental de l'home racionalista derrotat i *significa* la decadència progressiva i l'ensorrament definitiu de Bearn. Esposa de l'autor d'unes *Memòries* on «batega el ta-

25. Joan Mayol cita dos versos del «Sonet a Maria Antònia», de Jaume Vidal Alcover, sobre la limitació i la serenitat característiques de la senyora: «Columnes sereníssimes t'aixequen una arcada/ que retalla la glòria, però emmarca el fracàs» (p. 121).

lent», una obra «comparable al cavall de raça que, fins i tot aturat, deixa endevinar la seva potència interior» (p. 57), amb la seva quota de «pensaments valuosos, que demostren grandesa d'ànima» (p. 57), ella «[perd] la memòria en els darrers anys» (p. 58) i la seva senilitat esdevé un altre dels motius recurrents de la novel·la:

> Els darrers anys havia perdut la memòria, encara que conservava intacte el seu afany de precisió, que exagerava ara puerilment perquè comprenia que li fugia de les mans. (p. 61)
>
> Anys més tard, Dona Maria Antònia, que començava a perdre facultats, a declinar, m'assegurà que aquella criatura [Xima] m'assemblava a mi. (p. 87)
>
> Fins en aquell moment no havia sospitat que les seves facultats mentals començassin a declinar i encara vaig estar temps a voler-ho reconèixer. (p. 129)
>
> —Jo no sé —afegí [Dona Maria Antònia] com conversant amb ella mateixa— si sa comèdia d'Auteuil, [Don Toni] l'ha representada tan malament perquè ha tornat véi o perquè, sabent que jo ho som i començ a estar desmemoriada, ha cregut que així ja n'hi havia prou... (p. 148)
>
> —Ha estat una escena de teatre clàssic —em digué el senyor—. Érem a sa sala d'es piano i sa senyora tractava de recordar *Il re pastore*, que ja no se'n recorda [...]. (p. 180)
>
> Algun temps després del nostre viatge, vaig tenir la certesa que les facultats mentals de Dona Maria Antònia declinaven. Déu és harmònic en totes les seves creacions. Sembla a primera vista que una criatura dotada com la senyora no hauria d'envellir. Sembla també que el sol no s'hauria de pondre mai. Però si el migdia és esplèndid, els crepuscles són dolços i les nits plenes de suavitat. (p. 183)
>
> La prevenció mig amagada que em tenia antany i que m'havia duit a dir-li una frase inconvenient («Jo som una ofensa per a Vossa Mercè») que ella no havia volgut recollir, semblava haver-se esborrat per complet. Ara que el cervell es debilitava, el cor es mostrava tal com era, ple de naturalitat i de franquesa. (p. 185)

—[...] Quan pens [parla Dona Maria Antònia] que tot mos sobra i que no devem un cèntim a ningú...
No hi vèiem, de deutes. Només jo sabia l'esforç que costava anar pagant els interessos de les hipoteques. (p. 186)

A la fi dels seus dies, ja en ple desordre mental, afirmà coses tristes i escandaloses. Ignor si l'escepticisme del senyor tenia part en tals desvaris. (p. 193)

Dona Maria Antònia estava agafada al meu braç i em mirava amb estimació. ¿Havia perdut el cap o s'humiliava cristianament a fi que jo no em sentís rebaixat? (pp. 193-194)

Dona Maria Antònia confonia dates, viatges i fets, i així els seus relats eren tenyits de la poesia que presenten els somnis. El senyor acudia a desfer les errades i a restablir la veritat i per un camí diferent em feia sentir la poesia que, segons Pitàgoras, es desprèn dels nombres i del concert dels estels. (p. 198)

[Dona Maria Antònia] cercava [el rosari] per damunt la xemeneia i degué esser en aquell moment que, desmemoriada com estava, prengué algun dels bombons de Dona Xima. (p. 220)

—[...] He intentat [parla Don Toni] especialment retratar Dona Maria Antònia, fixant sa seva graciosa infantesa, sa seva maduresa plena de talent i serenitat i es desordre mental de sa darrera època, que a estones feia reviure sa nina de vuit anys amb qui he jugat. (p. 221)

«Las Memorias son el resultado de un *delectatio morosa* en el gran pecado de vivir» (Ortega 1957p, p. 589). Però a *Bearn* el pecat de viure només és cosa de Don Toni, que arriba a la plenitud intel·lectual durant la vellesa, coincidint amb la decadència mental de Dona Maria Antònia, convertida en espectacle per a la mirada masculina del seu marit i del sacerdot:

No em queda ni tan sols el conhort d'atribuir alguna de les seves excentricitats [de Don Toni] a l'edat avançada. Era més intel·ligent de cada dia i a mesura que les passions s'apagaven s'anava perfeccionant en el coneixement dels homes i de les coses. Els seus errors resultaran per això mateix més difícils de perdonar. Imagín que en ell la pau dels darrers anys degué resultar més aparent que real, al revés del que

> succeïa a Dona Maria Antònia, que ha mort en la gràcia de Déu. L'espectacle de la seva decadència (més humana que la plenitud intel·lectual del senyor) era observat amb ironia i tendresa per l'espòs, però constituïa també una fruïció per al sacerdot. (pp. 192-193)

Les dues morals de Nietzsche

Don Toni i Dona Maria Antònia pertanyen als paradigmes oposats d'una sèrie de binomis que jerarquitzen la diferència entre gèneres, però entre ells hi ha un vincle important d'ordre familiar i moral. Comparada amb Don Toni, a Joan Mayol ella li pot semblar «un salvatge davant un piano», però tan bon punt ha efectuat aquest comentari entre brutal i despectiu, afegeix: «malgrat tot eren cosins, duien el mateix nom i part de la mateixa sang. S'estimaven» (p. 148). Després de l'aventura de Don Toni amb Xima, els Bearn «passaren deu anys separats per dues llegües de camí, però moralment més units del que es podria sospitar» (p. 69). Encara que Joan Mayol no concreta en què consisteix aquesta unió moral, no costa gaire identificar-la amb una afinitat profunda dels temperaments. Don Toni és «el més insubornable dels homes» (p. 110) i, a l'ànima de Dona Maria Antònia, Joan Mayol hi albira «alguna cosa d'insubornable» (p. 122). A més, «[a]mb tota la seva pietat, Dona Maria Antònia posseïa, igual que el senyor, un temperament pagà, que no debades eren cosins» (p. 121). La senyora és, doncs, un personatge contradictori: una persona religiosa, d'una pietat modèlica, que necessita un capellà per a ella sola i, al mateix temps, té un temperament pagà pel fet de ser una Bearn, com el seu marit. I resulta que és gràcies al substrat pagà del seu temperament que se la pot considerar una aristòcrata, perquè a ella li falten les qualitats d'excel·lència de Don Toni i, per tant, no irradia la seva exemplaritat. Però és una Bearn, i els Bearn són pagans, és a dir, *senyors* en el sentit nietzscheà de la paraula.

Joaquim Espinós indica que, «tan subterrània o paradoxal com es vulga, la presència de Nietzsche en l'escriptor mallorquí és un fet innegable», però passa per alt que alguns aspectes de l'obra del filòsof alemany aporten un intertext molt valuós a l'hora d'interpretar *Bearn*, una omissió sorprenent en qui es proposa

> [e]sbossar les línies bàsiques de la relació entre tots dos escriptors, la seua procedència, de vegades indirecta —via Ortega i Spengler principalment—, la seua evolució dintre de la trajectòria creadora de l'escriptor mallorquí i els canvis que les idees nietzschianes originàries experimenten en ser adaptades [per Villalonga] [...]. (2003, p. 423)

Ortega i Spengler són dos dels deixebles més conspicus de Nietzsche, i la presència d'ambdós a l'obra de Villalonga també és innegable. És lògic, doncs, que algunes de les idees de Nietzsche li arribin per via indirecta, a través d'Ortega i Spengler.[26] Ara bé, això no significa que «la petjada nietzschiana en l'obra de Villalonga» tingui «l'abast limitat» que li concedeix Espinós (2003, p. 426, n.2). Crec que, a *Bearn*, Nietzsche hi arriba gairebé sempre sense intermediaris, encara que els intermediaris també s'hi deixen sentir, com espero haver demostrat abans. De fet, «la petjada nietzschiana» hi és tan visible que convida a reconsiderar la hipòtesi d'Espinós que *El misantrop* «[é]s, segurament, la més nietzschiana de les obres de Villalonga» (2003, p. 426), suposant que sigui possible mesurar amb exactitud aquesta mena de petjades.

Espinós apunta que el vitalisme és un dels aspectes del pensament de Nietzsche pels quals Villalonga es va interessar durant la seva joventut, i es fa ressò de la importància que més tard adquiriran en la seva obra

> la valoració [nietzscheana] de l'esforç físic, oposat als excessos misticoides, així com la reivindicació del llegat clàssic com a compensació dels excessos espiritualistes cristians [...]. Recordem alguna de les converses entre Don Toni i Joan Mayol, o entre Flo la Vigne i el seu tutor. (2003, p. 428, n.6)

26. Sobre la presència de Nietzsche a Ortega, vegi's Sobejano 2004, pp. 526-565.

A més, a *Flo la Vigne* troba

> un regust nietzschià en la crítica que [Villalonga] du a terme, en nom del paganisme, als excessos místics del seu protagonista [...]. Crítica que recorda, dit siga de passada, la de Don Toni a Joan Mayol en *Bearn*. (2003, pp. 429-430, n.7)

A *Bearn*, el nom de Nietzsche apareix dues vegades, citat «en tots dos casos des de la perspectiva cristiana de Joan Mayol», semblant a la de Villalonga en la sèrie d'articles «Spengler y el alma germànica» (1934) i, pel que fa a Don Toni,

> tot resulta, com ja sabem, més complex. Tot i que no esmenta directament el filòsof alemany, hem de recordar el seu costum de disfressar-se de Voltaire, antecedent directe de la crítica religiosa escomesa per Nietzsche. Certament, com li agradava de dir al Baró de Bearn, «entre Déu i el dimoni tan sols hi ha un malentès» o bé, «no hi ha una sola idea que no dugui en si mateixa la seva refutació possible». (Espinós 2003, p. 432, n.10)

Espinós creu que Villalonga va ser «un lector atent [de Nietzsche] però molt allunyat de les seues postures intel·lectuals i vitals», i que al llarg de la seva vida va expressar una sèrie d'«opinions arbitràries i contradictòries» (2003, p. 437) sobre el filòsof, a qui hauria utilitzat «com a pedra de toc de les seues postures intel·lectuals, estètiques, morals o polítiques, no amb voluntat d'aprofundir-hi, ni menys encara d'identificar-s'hi creativament» (2003, p. 438). A *Bearn*, la petja de Nietzsche seria mínima, gairebé negligible.

L'intent d'esbrinar el grau de complicitat de Villalonga amb un pensador (Nietzsche, Ortega o Spengler, per exemple) o amb un sistema filosòfic a través de les seves col·laboracions a la premsa, dels seus textos autobiogràfics i de les seves ficcions pot generar una perplexitat notable, producte de contradiccions que tendeixen a consolidar la imatge d'un Villalonga ambigu o ambivalent, tan estesa entre els seus crítics. Al meu entendre, però, les complicitats ideològiques ondulants de Villalonga tenen una importància relativa. El que és més important és esbrinar quins són els discursos filosòfics que ajuden a construir el sentit de la seva obra literària. Les opinions de Villalonga sobre Nietzsche poden ser coherents o contradictòries, però el que és productiu per a la crítica és comprovar que, més enllà d'un parell de referències explícites de Joan Mayol a Nietzsche, de l'actitud de Don Toni envers la formació física de Joan Mayol o del seu hàbit de disfressar-se de Voltaire, Nietzsche és un intertext clau per entendre un dels sentits de *Bearn*.

Bearn gira entorn de la relació entre Don Toni i Joan Mayol, entre un aristòcrata escèptic i racionalista, i un fill del poble, un pobre sacerdot catòlic amb una visió metafísica de l'existència. Aquests dos personatges, que abans he intentat analitzar a la llum d'Ortega, ficcionalitzen l'oposició aristocràcia / ramat, moral dels senyors / moral dels esclaus, en què recolza el pensament de Nietzsche.

Nietzsche reivindica el caràcter jeràrquic de la societat i nega que els homes siguin iguals:

> Cada nova elevació del tipus «home» ha estat fins ara l'obra d'una societat aristocràtica —i sempre serà així: l'obra d'una societat que creu en una llarga escala jeràrquica i en la diferència de valor entre home i home, i que necessita d'una manera o altra l'esclavitud. (2000, p. 253)

La veritat sobre l'origen de la societat aristocràtica és desagradable, «dura», perquè els homes que la formen són «bàrbars [...], homes de rapinya, encara dotats d'una força de voluntat i un desig de poder indòmits», que sotmeten «homes més febles, educats, pacífics, potser races comerciants o ramaderes», homes de cultures fatigades, que s'han instal·lat en la depravació i dediquen les últimes energies a «vistosos focs d'artifici de l'esperit» (2000, p. 254).

Aquesta casta aristocràtica no està al servei de res ni de ningú, ni tan sols de les monarquies, sinó que es justifica a si mateixa i, sense sentir-se'n culpable, sacrifica altres homes a la condició d'esclaus. L'agressió, l'explotació, la subjugació són indestriables de la vida mateixa, perquè «viure *és*, ras i curt, voluntat de poder» (2000, p. 256).

Nietzsche distingeix entre «dos tipus bàsics» de moral, radicalment oposats: «Hi ha una *moral de senyors* i una *moral d'esclaus*» (2000, p. 257). Quan preval la primera i els senyors fixen el concepte de «bo»,

> els estats anímics elevats i orgullosos es perceben com els caràcters més distingits i determinants d'una jerarquia. La persona noble separa de si els éssers en els quals s'expressa el contrari d'aquells estats sublims i orgullosos: els menysprea. [...]. Menyspreats ho són el fluix, el poruc, el mesquí, el qui només pensa en un profit miserable; també el desconfiat amb la seva mirada servil, el qui s'humilia ell mateix, l'espècie d'home gos, que es deixa maltractar, el captaire adulador, i sobretot el mentider —que el poble baix és mentider és una sòlida convicció de tots els aristòcrates. (2000, p. 257)

L'aristocràcia dicta que allò que la perjudica és perjudicial en si mateix, «és *creadora de valors*» (2000, p. 258). És clar que «la persona noble també ajuda l'infeliç, però no pas, o no del tot, per compassió, sinó per un impuls que genera la riquesa excessiva del seu poder» (2000, p. 258). Els aristòcrates estan orgullosos de la seva crueltat, veneren la tradició i la vellesa («el prejudici favorable als avantpassats i desfavorable als futurs descendents és típic en la moral dels poderosos»), i només accepten obligacions envers els individus del seu rang, mentre que «amb éssers de rang inferior i amb els de fora poden actuar sense mirar gaire prim, com 'plagui al cor', i en tot cas 'més enllà del bé i del mal'» (2000, p. 259).

Encara que ajudi l'infeliç, l'aristòcrata és egoista: «l'egoisme forma part de l'essència d'una ànima noble», un egoisme que consisteix en «aquella fe irreductible per la qual un ésser com 'nosaltres' creu que d'altres éssers se li han de sotmetre i sacrificar-se per ell» (2000, p. 269).

Nietzsche es pregunta què significa ser noble «avui», en una època que assisteix als «primers moments de la sobirania popular» (2000, p. 283), i recalca que la noblesa no es manifesta a través de les accions o les obres d'una persona, sinó d'una fe peculiar:

> una ànima noble posseeix respecte d'ella mateixa una mena de certesa originària, una cosa que no es pot buscar, que no es pot trobar i potser ni tan sols es pot perdre. —*L'ànima noble té respecte per ella mateixa*. (2000, p. 283)

L'ànima noble és, a més, una ànima solitària: «els [homes] més selectes, subtils, rars, difícils d'entendre és fàcil que visquin sols [...] i rarament es reprodueixen» (2000, p. 272).

Lògicament,

> La mirada de l'esclau és poc favorable a les virtuts dels poderosos: s'hi mostra escèptic i desconfiat, i sent una malfiança *subtil* contra tot allò que s'honora com a «bo» en aquelles virtuts, ell es voldria persuadir que la felicitat mateixa del poderós no és autèntica. (2000, p. 260)

La moral dels esclaus desconfia de les virtuts dels poderosos i es basa en «les qualitats que alleugen la condició dels afligits»: amabilitat, compassió, humilitat, paciència, tendresa..., «ja que aquestes són [...] les qualitats més útils i gairebé el mitjà únic de suportar l'aclaparament de l'existència» (2000, p. 260). Es tracta d'una moral que té a veure amb la utilitat, identifica la persona bona amb «la persona *inofensiva*» (2000, p. 260) o ximpleta, i planteja «l'exigència de llibertat» (2000, p. 261).

La moral aristocràtica és la primera d'aparèixer en el transcurs de la història i es caracteritza per la seva implacable voluntat de poder. La moral dels esclaus és la moral dels impotents i, per això mateix, una moral perversa:

> els sacerdots són els *enemics més perversos*. Per quina raó? Perquè són els més impotents. A partir d'aquesta impotència, l'odi esdevé en ells una cosa monstruosa i inquietant, es converteix en la cosa més espectral i verinosa. (1998b, p. 55)

La moral aristocràtica proposa l'equivalència entre bondat, bellesa, felicitat, noblesa i poder, però els jueus capgiren aquesta equivalència i defensen que els bons són els febles, els infeliços, els pobres. En el terreny de la moral, amb els jueus s'inicia una rebel·lió d'esclaus que dura des de fa dos mil anys, tot i que amb el temps ha esdevingut invisible a causa del seu triomf. De fet, la rebel·lió dels esclaus s'inicia «quan el mateix *ressentiment* esdevé creador i genera valors» (1998b, p. 59), uns valors que, almenys de moment, han acabat imposant-se.

L'aristòcrata és l'home confiat, ingenu, escèptic i sincer. L'esclau és l'home envejós, que cobeja el que no té:

> La seva ànima *mira amb cobejança*, el seu esperit estima els amagatalls, els camins secrets i les portes del darrera, és atret per tot allò que és ocult com si fos el *seu* món, la *seva* seguretat, el *seu* alleujament. Sap de callar, de no oblidar, d'esperar, d'empetitir-se de tant en tant, d'humiliar-se. (1998b, p. 62)

El símbol del combat que des de fa dos mil anys lliuren les dues morals és «Roma contra Judea i Judea contra Roma» (1998b, p. 79), perquè, tal com se'ls imagina Nietzsche, els romans van ser «els forts i els nobles, de manera que mai no han existit a la terra [homes] tan forts i [...] tan nobles», i els jueus, «aquell poble sacerdotal del ressentiment *par excellence* que posseïa una genialitat única pel que fa a la moral popular» (1998b, p. 80). Roma ha estat derrotada:

> Pensem [...] davant qui s'inclina actualment la gent a la mateixa Roma, com si fos la quintaessència de tots els valors suprems, i no solament a Roma, sinó gairebé a mig món, a tot arreu on l'home s'ha tornat mansuet o vol tornar-se mansuet. (1998b, p. 80)

Al Renaixement, els valors de Roma van experimentar una revifalla abans de ser derrotats un altre cop, mitjançant la Reforma, per Judea, que tornarà a triomfar amb la Revolució francesa, quan caigui l'última aristocràcia europea, empesa pels homes del ressentiment.

Els ressentits són els inventors de la mala consciència:

> en totes les èpoques l'home agressiu, en tant que més fort, més valent, més noble, ha tingut també de fet la visió *més lliure*, la

> consciència *millor* de la seva banda. Al contrari, ja s'endevina qui és en general aquell qui ha descobert la «mala consciència» en la seva consciència: l'home del ressentiment! (1998b, p. 109)

Els homes del ressentiment, que no es consenteixen de fer mal als altres i opten per fer-se'n a si mateixos, «s'ha[n] emparat del pressupòsit religiós a fi de menar el seu automartiri» fins a l'últim extrem, senten que els seus instints d'animal els fan contraure «un deute amb Déu» (1998b, p. 134) i entenen déu com el principi oposat a aquests instints. Són homes malalts:

> Els *malalts* constitueixen el gran perill de l'home [...]. Són els més *febles*, aquells qui de bon començament són dissortats, reprimits [...], els qui sobretot soscaven la vida entre els homes, els qui enverinen i qüestionen més perillosament la nostra confiança en la vida, la nostra confiança en l'home, la nostra confiança en nosaltres mateixos. (1998b, p. 176)

Els malalts són els cristians. El tipus més valuós d'home, el que afirma la vida, ha existit sovint però sempre d'una manera fortuïta, com algú que inspira temor, i d'aquest temor n'ha sorgit l'home que se li oposa, «l'animal domèstic, l'animal de ramat, l'home animal malalt —el cristià» (2004a, p. 104), que també és corrupte perquè negar la vida és sinònim de corrupció: «Dic que un animal, una espècie, un individu és corrupte quan ha perdut els instints, quan tria, quan *prefereix*, el que li resulta perjudicial» (2004a, p. 106). El cristianisme és la forma més vil de corrupció per la seva hostilitat a l'instint, a la mateixa vida:

> Considero el cristianisme la *gran* maledicció, la *gran* depravació interior, el *gran* instint de venjança per al qual cap mitjà és prou verinós, prou furtiu, prou subterrani, prou *insignificant*. (2004a, p. 174)

Els pagans, en canvi, «són tots els que diuen Sí a la vida, aquells per a qui 'Déu' és l'expressió del gran Sí a totes les coses» (2004a, p. 162).

El cristianisme desposseeix la vida, la realitat, del seu valor, i en fabrica una altra de falsa o ideal. Per a Nietzsche, «la força d'un esperit es podria mesurar [...] per la quantitat de 'veritat' que és capaç de tolerar» (2000, p. 93), i «[l]'error (la creença en l'ideal) no és pas ceguesa, l'error és *covardia*...» (2004b, pp. 8-9). La moral cristiana, hostil a la vida, és una moral de la decadència: «*Definició* de *moral*: moral —la idiosincràsia dels *décadents*, amb el propòsit ocult de *venjar-se de la vida— i* tenir èxit» (2004b, p. 96).

Don Toni és un dels exemplars reeixits, de les «elevacions» del tipus «home» que produeixen les societats aristocràtiques, i entre els seus avantpassats hi ha algun malfactor amb el perfil del bàrbar, de l'home de rapinya que Nietzsche associa amb l'origen de la societat aristocràtica. A vegades, Joan Mayol s'imagina Don Toni com «un monstre» (p. 137) perquè va pervertir la Xima adolescent, i Dona Maria Antònia es queixa «de la forma agressiva i rotunda de l'espòs, pròpia d'algun avantpassat llegendari» quan ell qualifica en Collera de «cotorra» (p. 130).

Els Bearn no deuen res a cap monarquia, com li agrada recordar a Don Toni: «Sa nostra casa no deu res a cap rei. Al contrari» (pp. 107-108). Don Toni, un home interessat «per l'ascendència de les famílies de l'Illa» (p. 131), que venera el passat, i Dona Maria Antònia són aristòcrates que desconeixen la compassió. A diferència de Rousseau, el senyor de Bearn creu que l'home és cruel per naturalesa i la seva concepció jeràrquica de la societat fa que vulgui mantenir a distància els éssers de rang inferior. Joan Mayol cita aquest fragment de les *Memòries*:

> Hem d'anar una mica alerta. [...]. Amb els qui estan per davall, el senyor haurà de conservar sempre la iniciativa. Els han d'estimar a distància i no mostrar-se amables sinó quan véngui de gust fer-ho, ja que l'amor ens pot aproximar, però la comunitat intel·lectual és gairebé impossible. Vull dir que els podem besar, però mai donar-los la mà. (p. 71)

Don Toni tracta els éssers de rang inferior «sense mirar gaire prim», amb la condescendència, el desdeny i la duresa de l'aristocràcia nietzscheana, que està més enllà del bé i del mal:

> No vull significar que no estimàs els pagesos, però sí que no els concedia tracte d'igualtat. *Ell mateix s'ha definit dient que fugia «d'es contactes humans innecessaris»*. Amb aquesta frase una mica sibil·lina, pens que se referia als contactes físics quan no són font de plaer. L'amor pot fer que una pastoreta pugi a un tron; però, esfumat l'encant sensual, de si passatger, l'aristòcrata *desdenyarà* la pastoreta i amb *el més fred dels egoismes* l'abandonarà a la seva sort miserable. Passaran els anys i potser un dia la víctima i el seductor es trobaran tots sols en algun camí. Ella, dona ja empesa i sense atractius, el saludarà humilment dient-li «senyor», salutació a la qual respondrà, el vell amant, amb llunyana jovialitat. *La consciència no li fa cap retret*. Tal volta aquella dona ha estat malalta i ell li envià, per conducte del senyor Vicari, un paper de cinc duros. Tal volta protegeix la criatura que nasqué del pecat i no li regateja ni estudis ni aliments, emperò sense concedir-li allò que val més que tots els tresors de la terra: un nom digne, una patent d'honradesa. Així són moltes de vegades, fins i tot els qui es tenen per justs, *els poderosos del món*; *freds i durs com la pedra*. (pp. 25-26, les cursives són meves)

Joan Mayol acusa els poderosos de crueltat, d'una falta de compassió que seria conseqüència de la seva vida fàcil, sense estretors, però entén que aristocràcia i crueltat són consubstancials:

> Aquella escena m'havia oprimit el cor. Oncle i neboda estaven impassibles, amb la fredor pròpia dels poderosos, que a voltes ens sembla, als fills del poble, el més alt exponent de l'egoisme. Eren com dos cirurgians, dos vivisectors que fiquen el bisturí sense preocupar-se del dolor que causen. Per un instant els vaig odiar. Eren els «senyors», els enemics. El meu ressentiment durà poc. Cadascú és així com l'eduquen. (p. 92)

> En realitat, ni el senyor ni [la senyora] no havien sofert mai privacions. Sempre que necessitàrem doblers, aquests havien acudit. Aquestes experiències solen donar seguretat i alguna sequedat de cor als poderosos, i per això Jesucrist diu que és tan difícil la seva salvació. (p. 129)

> De totes formes, la grandesa terrenal significa crueltat. ¿I com podria esser altrament? ¿Podria el cirurgià amputar un membre si es commogués davant els gemecs del pacient? (p. 135)

> Mai, Miquel, no arribarem a comprendre els senyors. Són durs de cor i tal vegada no poden esser d'altra manera. (pp. 151-152)

> Als darrers anys, durant l'hivern, [els senyors] s'aixecaven tard i la missa no es deia mai abans de les deu del matí, i poques vegades a la capella, sinó al petit oratori del pis alt. Com és natural, els treballadors no hi podien assistir, però els senyors no mostraven escrúpols de privar-los del Sant Sacrifici. (p. 184)

Dona Maria Antònia té uns ulls «més aviat lluents i de vegades un poc durs» (p. 148), i la fredor o el menyspreu amb què tracta Joan Mayol, explicables perquè és fill il·legítim de Don Toni, també es podrien interpretar com una mostra de la crueltat, la duresa o la sequedat de cor dels poderosos del món. La negativa de Don Toni a concedir «una patent d'honradesa» al(s) seu(s) fill(s) il·legítim(s) en seria una altra.

A les *Memòries*, Don Toni escriu: «Si el senyor no pega, és segur que el bracer, un dia o l'altre, s'aixecarà contra ell» (p. 71). Aquesta és una de les raons per les quals castiga físicament «les faltes dels seus inferiors» (p. 24), com la de dir males paraules. Joan Mayol ha presenciat algunes d'aquestes escenes violentes:

> Jo li he vist pegar amb les corretjades al pareller major (una espècie d'atleta que acceptava el càstig grinyolant) i l'he vist tot seguit raonar el càstig amb el senyor Vicari del poble, que condemnava aquelles coses. (p. 24)

Que un noi «jove i vigorós» suporti la violència d'un home «menut», que «passava de la cinquantena», li sembla una aberració biològica, però ho justifica perquè s'insereix dins «un ordre de coses» imposat per la tradició i regit per la disciplina dels poderosos:

Ja que les lleis físiques i biològiques repugnaven l'escena, pens que aquella submissió per part del pareller, que alguns titlaran de vil, obeïa a forces morals, a tot un ordre de coses, disciplina, tradició, que honraven igualment amo i criat. (p. 24)

Un dia, Don Toni apallissa el majoral per haver dit «una paraula grossera», i el Vicari l'amonesta «suaument»:

¿Com era possible que un senyor tan il·lustrat, sabent francès, sabent construir hexàmetres llatins...? Don Toni pensava, somrient: «¿Per què han d'esser incompatibles, els hexàmetres llatins i fins els alexandrins francesos, amb les corretjades? Reconeixia, però, que començaven a semblar anacròniques en el segle XIX». (p. 76)

Apallissar els criats per qualsevol falta és compatible amb els alexandrins francesos i els hexàmetres llatins perquè el sistema de valors de Don Toni és el de l'aristocràcia nietzscheana. Si el Vicari condemna el càstig corporal als criats és perquè, a parer de Nietzsche, la moral dels esclaus capgira els valors de la moral aristocràtica fins a transformar en pervers «tot allò que eleva l'individu per damunt del ramat i que fa por al proïsme» (2000, p. 159). I si Don Toni reconeix que al segle XIX les corretjades poden resultar «anacròniques» és perquè, segons Nietzsche, en la trajectòria d'una societat arriba un moment en què «la consciència comença a sentir qualsevol severitat com una nosa, fins i tot en la justícia» (2000, p. 159). Aleshores es qüestiona la idea de castigar el delinqüent:

Hi ha un punt de deixadesa i estovament malaltissos en la història de tota societat, on ella mateixa pren partit per aquell que la perjudica, pel *delinqüent* [...]. Els càstigs li semblen d'alguna manera injustos —i és ben cert que la imatge del «càstig» i d'«haver de castigar» li fan mal, li fan por. «No n'hi hauria prou tornant-lo *inofensiu*? Per què l'hem de castigar, doncs? El fet mateix de castigar és horrorós!» —amb aquesta pregunta la moral de ramat, la moral de la pusil·lanimitat, treu les seves últimes conseqüències.[27] (2000, pp. 159-160)

27. En Don Toni, el liberalisme (orteguià) coexisteix amb una opinió benigna sobre Ferran VII («[t]enia un criteri prou clar per a no culpar massa Don

Don Toni és egoista i, a més, no se n'amaga: «Comprenc que som un egoista, però és que em costa posar-me en es lloc d'un altre» (p. 200). Aquest egoisme no li impedeix d'ajudar l'infeliç (els bearnesos que volen col·locar els seus diners, els que li demanen que administri justícia, madò Coloma), sens dubte impulsat per «la riquesa excessiva del seu poder», més que per la compassió: «És cert, amb tot, que era un pare per a les famílies humils i que coneixia i tractava de remeiar moltes necessitats» (p. 124).

Don Toni és l'home lliure, sense mala consciència, que no es penedeix de res. Es nega a suprimir «les seves accessòries [...] infidelitats conjugals» de les *Memòries*, una obra immoral, pensa Joan Mayol, perquè no conté «un penediment del passat fluctuant i desastrós» (p. 60). Les converses entre ell i el sacerdot sobre l'aventura de París «s'haurien pogut prendre per una confessió si no fos perquè la seva mateixa objectivitat impedia que en sorgís el dolor com una rosa mística...» (p. 63). Davant el Vicari, no sent cap «dolor de contrició» (p. 82) per l'aventura amb Xima, i l'afecte que professa a Dona Maria Antònia tampoc no pesa prou perquè es penedeixi de la seva vida llibertina o perquè l'oblidi. Al final, morirà «sense confessar-se» (p. 233).

Ferran» [p. 33]), una actitud entre condescendent i despectiva envers la gent humil, amb qui no és possible «la comunitat intel·lectual» («Aquesta gent és pobra, ignorant i tosca» [p. 46]), amb la convicció de la necessitat d'una dictadura il·lustrada, encara que sigui temporal («[e]s poble és inculte, intransigent i tosc. [...]. Abans d'es triumf total de sa democràcia haurem de passar per una dictadura il·lustrada» [p. 71]; «[a]llò queia dins la ideologia del senyor: una dictadura il·lustrada» [p. 109]), i amb l'hàbit de pegar als criats. Entre el Don Toni liberal i les altres versions de Don Toni hi ha un desajustament o una tensió semblants als que hi ha entre el Don Toni racionalista, fill de les seves obres, i el que pensa que «això [ser fill de les pròpies obres] tampoc no és ben ver» (p. 213), o entre la Dona Maria Antònia religiosa i la que té un temperament pagà. En el pensament d'Ortega, democràcia i liberalisme no són pas conceptes idèntics (vegi's Cerezo Galán 1991, pp. 54-58, i Ouimette 1998, vol. 2, pp. 201-239), però la tensió entre el Don Toni liberal i les altres versions de Don Toni és essencialment el resultat de la intersecció de dos intertextos: Ortega i Nietzsche. Com Dona Maria Antònia, Don Toni és un personatge contradictori. Vés a saber si és per això que Joan Mayol al·ludeix al seu «fons [...] contradictori».

Don Toni també presenta les característiques d'ingenuïtat i sinceritat de l'aristòcrata nietzscheà. Quan sàpiga que Xima ha aconseguit que li regali el collar de diamants de la seva mare, Dona Maria Antònia el considerarà «un ingenu» (p. 104). De la seva sinceritat, és Joan Mayol qui en dóna fe:

> La seva ànima era clara i canviant com el vidre. Precisament perquè es tractava d'un home sincer, no es podia saber mai com era, igual que no és possible endevinar quines seran les imatges que s'aniran reflectint damunt un cristall. És curiós que aquestes persones que no s'han tancat dins un sistema, tal vegada per no prescindir de cap aspecte de la veritat, sien les que se'ns apareixen com a més trapasseres. (p. 23)

L'ànima de vidre de Don Toni és manllevada a l'«home objectiu» de Nietzsche:

> L'home objectiu [...] és, de fet, un mirall: avesat a sotmetre's a tot allò que vol ser conegut, sense cap altre plaer que el de conèixer, de «reflectir» —ell esperarà fins que alguna cosa es deixi veure i aleshores s'estendrà dòcilment, per tal que ni la més tènue petjada ni la més evanescent presència fantasmal fugi de la seva superfície, de la seva pell. Allò que encara li queda de «persona» li sembla casual, sovint arbitrari, i encara més sovint una nosa; fins aquest punt s'ha convertit en un lloc de pas i en el reflex de formes i esdeveniments vinguts de fora. (2000, p. 174)

L'ànima de l'home objectiu és una ànima-mirall: «La seva ànima de mirall, sempre llisa, és incapaç d'afirmar o de negar» (2000, p. 175). A Don Toni «[n]o li dolia que refutassin i combatessin les seves creences» (p. 56). És així perquè, per a Nietzsche, «un dels majors atractius d'una teoria és el fet que es pugui refutar: això és [...] el que atreu els cervells més subtils» (2000, p. 66), com el del senyor de Bearn, que rebutja tota mena de dogmatismes.

Aquest rebuig s'adiu amb el «perniciós escepticisme socràtic» cap al qual evoluciona i que abans he llegit a través dels filtres d'Ortega i Spengler. Nietzsche afegeix una altra capa de sentit a aquest escepticisme:

els grans esperits són escèptics. Zarathustra és escèptic. La força, la *llibertat* que s'obtenen del poder i el superpoder de la ment, es *demostra* mitjançant l'escepticisme. [...]. Les conviccions són presons. (2004a, p. 160)

Don Toni és una ànima difícil de comprendre, solitària, que no es reprodueix, o almenys que no té descendència legítima. Ja hem vist que, exclosa de l'àmbit de la intel·ligència masculina, Dona Maria Antònia no el comprèn. Tampoc no el comprenen els bearnesos humils:

> Per a aquests pagesos, el senyor no era bo d'entendre. (p. 23)
>
> Consideraven absurd que passàs les nits llegint, perquè per a ells ho hauria estat, i encara que era l'home més comprensiu del món, com que no el comprenien, els semblava misteriós. (p. 70)

Joan Mayol presumeix d'haver estat l'únic que ha arribat a comprendre'l: «No ho prenguis a vanitat, Miquel, però és ben cert que, al senyor, que ha corregut tant de món i que ha tractat tantes persones, no l'ha comprès ningú més que jo» (p. 104). Però altres fragments de la seva carta ho desmenteixen:

> ¿No era obligació meva vetlar per la salut d'una ànima que mai no he arribat a entendre? (p. 170)
>
> És difícil enjudiciar la seva figura. Jo mateix, que l'he tractat de prop, he estat frívol en acusar-lo de frivolitat i presentar-lo com un epicuri sense problemes. Aquella existència benaurada, que en hores d'amargor he contraposat a la meva existència, es veié reduïda a cremar la seva biblioteca i a refugiar-se en la ironia. Hagué de fabricar-se un món en les *Memòries*. En aquest sentit les circumstàncies no foren per a ell més benignes que per a mi. ¿Fins a quin punt aconseguí sentir-se lliure entre les contingències que l'obligaren a amputar aparentment la part més genuïna de la seva personalitat? Esbrinar-ho és empresa sobrada per a la meva ploma. (p. 233)

(Aquest últim fragment traeix la mirada de l'esclau que es vol convèncer que la felicitat del poderós és inautèntica.)

La decisió de Don Toni de viure a la possessió i no al poble o a Ciutat, així com el tipus de vida que hi fa durant els deu anys transcorreguts entre el final de l'aventura amb Xima i el retorn de Maria Antònia, palesen la seva voluntat de distanciar-se del ramat, «la voluntat d'estar sol» (Nietzsche 2000, p. 159):

> Passaren deu anys separats, encara que a no gaire distància. Dona Maria Antònia vivia en el poble, a l'antiga posada de Bearn [...]. Ell no es movia de la possessió i estava sempre voltat de llibres. (p. 30)

Són deu anys de recolliment i soledat, com els deu anys passats per Zarathustra en una cova de les muntanyes, amb l'única companyia de l'àliga i la serp, abans que la càrrega excessiva de la seva saviesa el faci baixar de nou a compartir-la amb els homes.[28]

Don Toni representa el sistema de valors de l'antiga Roma. D'aquí que tingui una ànima «més aviat pagana» (p. 27). Des de la perspectiva de Joan Mayol, «el paganisme» i «les com-

28. Després de l'aventura amb Xima, Don Toni «es consolà llegint les doctrines de Zoroastre i tornà a Mallorca compartint per igual la seva curiositat entre Ormuz i Ariman» (p. 66). En grec, Zoroastre és el nom de Zarathustra, el profeta persa. En una cançó de l'última part d'*Així va parlar Zarathustra*, el profeta de Nietzsche afirma la igualtat dels contraris, idea que retrobem a Don Toni. «El món és una harmonia de contraris», diu a Don Andreu en una conversa que Joan Mayol escolta d'amagat: «El senyor retreia velles doctrines orientals: el Bé i el Mal, dos aspectes d'un principi únic, d'un Ésser Suprem. Pareixia tocat de maniqueisme» (p. 77). «S'engan i sa veritat formen part d'un tot» (p. 37) i «[e]ts anys t'ensenyaran que tot s'assembla un poc i que, al capdavall, tot és necessari» (p. 191) són dues frases de Don Toni adreçades a Joan Mayol en dues converses diferents. A propòsit de la segona, Joan Mayol rumia: «A mesura que passaven els anys creia besllumar, en tantes analogies i tantes harmonies de contraris com propugnava Don Toni, un perillós retorn al fatalisme oriental» (p. 192). En efecte, Don Toni és aficionat a les analogies: «Sempre descobria analogies entre les coses, i quan no les trobava directament les trobava per contrast» (p. 108). Per a Nietzsche, les analogies són un exemple de la dominació, que exerceix l'esperit: «La força de l'esperit, consistent a apoderar-se de tot el que l'envolta, es manifesta com una poderosa tendència a equiparar tota cosa nova a una de vella, a simplificar la multiplicitat, a obviar o repel·lir qualsevol cosa contradictòria: així mateix subratlla, destaca i falseja vigorosament i arbitràriament determinats trets i aspectes de tot allò que li és estrany, de cada tros del 'món extern'» (2000, pp. 209-210).

plaences del segle» li han impedit experimentar certes «aventures morals» (p. 34) que la seva carta no especifica. Don Toni és «massa pagà» per voler una eternitat que no sigui l'«eternitat terrenal» (p. 98). La seva adhesió al sistema de valors de Roma, a l'ideal clàssic, es tradueix en un epicureisme aliè a la visió cristiana del món de Joan Mayol:

> El seu cos ja és pols —aquell cos al qual ell no havia regatejat plaers— i ara sols queda l'ànima en presència del Déu viu que l'ha de judicar. Preguem que les seves culpes li sien perdonades. (pp. 16-17)

> És possible que Don Toni hagi mort sense arribar a comprendre'm, perquè estàvem situats en molt diferents esferes. Per a ell, l'existència era fàcil: tot ho trobà ja fet quan va néixer i es pogué permetre el luxe de viure de les reserves acumulades pels seus avantpassats. Tals circumstàncies el convertiren en un epicuri, un ésser destinat a la mort en aquest món i potser també (Déu no ho vulgui) a l'altre. (p. 42)

També es tradueix en el desig que el jove Joan Mayol creixi «esvelt i robust», emulant «els bells atletes de l'antiguitat perpetuats en l'estatuària grega» (p. 34), una rèplica dels quals, «l'estàtua d'un atleta clàssic» (p. 42), es troba en un racó del gimnàs que li ha instal·lat a la possessió.

L'entrevista de Don Toni amb el Papa acara Roma i Judea, el representant de la moral dels senyors i el cap suprem de la moral dels esclaus. Joan Mayol queda decebut pel primer contacte amb Roma:

> Roma ens produeix, al primer contacte, una desil·lusió. Tots els qui coneixen un poc la Història i saben que aquella ciutat fou la capital del món queden sorpresos davant el seu traçat, les seves ruïnes i el desordre i la misèria que s'hi veuen pertot arreu. (p. 157)

Don Toni li ensenya primer la Roma antiga, on el sorprèn l'«absència de grandesa» (p. 158) de les ruïnes, tan diferents del que s'esperava. La Roma antiga, de les ruïnes decebedores, on senyoregen «el desordre i la misèria»; és la Roma pagana.

Hi ha, és clar, una altra Roma que agradarà al sacerdot: «La dels Papes, lloat sia Déu, no és morta, com poguérem comprovar poc després» (p. 158). No sols no és morta sinó que assisteix al triomf de Judea: «Després de les tres reverències que marca el cerimonial, el senyor féu senyal de besar la sagrada sandàlia, però Sa Santedat declinà l'acatament i li allargà la mà» (p. 167). A la llum de Nietzsche, les reverències de Don Toni al Papa i el gest de besar-li el peu adquireixen un sentit molt concret. Roma s'inclina davant Judea. Don Toni, «el més insubornable dels homes», s'ha tornat «mansuet».[29]

Don Toni no dóna detalls de l'entrevista amb el Papa durant el viatge en tren de Roma a la frontera. Joan Mayol no sap ben bé quin era el seu estat d'ànim aleshores: «Crec possible que el senyor no es decidís a parlar de Lleó XIII, que positivament l'havia impressionat, fins que, ja serè, recobrà el seu to natural», i tem que a les *Memòries* l'entrevista hagi estat massa retocada:

> Durant els mesos transcorreguts en l'elaboració d'aquella entrevista, el senyor, en la delectació artística de «compondre», devia anar retocant insensiblement els conceptes exposats, o almenys la seva «atmosfera», el seu to, fins a convertir-los de bona fe en quelcom de fonamentalment distint.[30] (p. 173)

Don Toni pensa que Lleó XIII és «un esperit il·lustrat i lliberal» (p. 128), «un homo intel·ligent» (p. 130), i a les *Memòries* el fa passar per un pagà. Joan Mayol no hi està d'acord:

29. Potser perquè inconscientment ha sucumbit a l'encís de la teoria sobre la identitat dels contraris, en veure Lleó XIII a Joan Mayol el colpeix «la semblança del Pontífex amb Don Toni» (p. 167), i la d'aquell amb el Voltaire d'Houdon.

30. «[E]s condición del género "Memorias" que el autor se mantenga fiel a su punto de vista, precisamente por ser 'caprichoso'; es decir, subjetivo e individual. El encanto de las Memorias radica precisamente en que veamos la historia otra vez deshecha, en su puro material de vida menuda, no suplantada por la construcción mental. En cierto sentido, tienen que ser las Memorias el reverso del tapiz histórico, con la diferencia de que en ellas el reverso presenta también un dibujo, bien que distinto del que va en el anverso. La historia es vida pública, y a ésta se llega machacando innumerables vidas privadas. En las Memorias vemos descomponerse la nebulosa histórica en los infinitos e irisados asteriscos de las vidas privadas» (Ortega 1957p, pp. 590-591).

> Els conceptes que a les *Memòries* atribueix a Lleó XIII han d'esser considerats amb tota classe de reserves. Jo, a qui Déu havia reservat la mercè de contemplar la cambra privada del Pontífex, amb les deixuplines penjades a un clau, puc donar fe que el paganisme que el senyor li atribueix no és exacte. (p. 173)

La qüestió de fins a quin punt a les *Memòries* Don Toni altera el contingut de l'entrevista amb el Papa no té importància, o en té molta menys que el seu desig d'obtenir l'aprovació papal per al pla de l'obra:

> Segons [Don Toni], Lleó XIII aprovà el pla general de les *Memòries* i no va objectar res a la idea que el Bé i el Mal es complementen. Hauríem de saber, de tota manera, com li fou formulada la pregunta i quines foren les paraules exactes del Sant Pare. (p. 184)

L'aprovació papal del pla de les *Memòries*, els gestos de submissió de Don Toni davant el Pontífex i el fet que, en darrer terme, la publicació de la seva obra cabdal depèn del *nihil obstat* eclesiàstic, indiquen la derrota dels valors de Roma. L'home que es flagel·la amb les deixuplines preval sobre l'aristòcrata epicuri, amant de la vida, conscient del seu rang superior, que no deu res a cap monarquia, té «la mà dura» i es fa respectar «per l'*élan*» (p. 162).

El paganisme de Don Toni aclareix les circumstàncies de la seva mort, que és efectivament un suïcidi, però no pas un suïcidi «enigmàtic», com suggereix Johnson. Veient que Dona Maria Antònia s'ha menjat un dels bombons enverinats de Xima, ell, que ja ha enllestit les *Memòries*, opta per suïcidar-se:

> Sens dubte, el senyor, davant l'estat de la seva esposa i sabent que havia perdut la memòria pels fets recents, tengué el mateix pensament [que Dona Maria Antònia s'havia menjat un bombó enverinat] i li va ocórrer comptar els bombons. El seu desconhort devia esser gran en notar que n'hi mancava qualcun i, pagà com era, havia preferit el suïcidi a la soledat d'una existència que, als seus anys, no se sentia amb forces per a refer. (p. 221)

Joan Mayol és testimoni de la mort dels Bearn i expressa el temor que es tracti d'un suïcidi: «La idea del suïcidi se'm va imposar» (p. 222), tot i que després matisa aquesta impressió inicial: «Ni tan sols m'és donat saber si se suïcidà» (p. 233).

La mort de Don Toni és una mort *pressentida* per ell mateix, i pressentida com a *incorrecta*:

> El seu desig era que tot s'anàs publicant després de la seva mort i, amb aquesta intenció, m'havia donat, setmanes abans de morir, com si hagués tengut un pressentiment, els manuscrits i els doblers [...], advertint-me que les *Memòries* eren encara incompletes i que m'aniria donant la resta a mesura que l'anàs escrivint. (p. 55)

> —[...] Fins i tot, si sa meva mort no fos «correcta» —[diu Don Toni a Joan Mayol] somrient amb melangia, com si pressentís el desenllaç que ja no era lluny—, la podries presentar com una conseqüència natural de sa meva vida. (p. 56)

La primera reacció de Joan Mayol a la mort de Don Toni, el «pressentiment» d'aquest sobre la seva pròpia mort *incorrecta* i l'actuació del sacerdot quan Don Toni és a punt de morir es poden interpretar com un reflex del pensament de Nietzsche sobre la mort:

> S'ha de morir amb dignitat si ja no és possible viure dignament [...]. Mai no s'hauria d'oblidar que el cristianisme ha abusat de la feblesa de l'home moribund per violar la seva consciència, que ha abusat de la seva mateixa manera de morir i l'ha convertida en un judici de valor sobre aquest home i el seu passat! —Aquí hem de desafiar totes les covardies del prejudici i fixar per sobre de tot la comprensió correcta, és a dir, fisiològica, del que s'anomena mort *natural*, que al capdavall és simplement una altra mort no natural, un suïcidi. Una persona no es mor mai a mans de ningú excepte a les seves. Però és una mort en les condicions més menyspreables, una mort que no és lliure, una mort en el moment *equivocat*, la mort d'un covard. Per amor a la vida, s'hauria de voler que la mort fos diferent, lliure, conscient, gens fortuïta, sense emboscada... [...]. No podem evitar de néixer, però podem compensar aquest error, i a vegades es tracta d'un error. Si t'*elimines* fas la cosa més admirable del món: gairebé et guanyes el dret de viure... (1998a, p. 61)

> Molts moren massa tard, i alguns massa d'hora. El consell sembla estrany: Mor en el moment adequat! (2005, p. 62)

Don Toni mor amb dignitat, de manera conscient i lliure, encara que Joan Mayol abusa de la seva feblesa de moribund per intentar violar-li la consciència (confessar-lo, obtenir permís per censurar-li les *Memòries*), i converteix la seva manera de morir en un judici de valor sobre la seva vida i el seu passat:

> —Senyor —li vaig dir—. Sa capsa és buida. Si Vossa Mercè ha pres qualque bombó és necessari que se confessi a l'acte. Hi va sa seva salvació eterna. Ha intentat suïcidar-se, Vossa Mercè?
>
> No obrí els ulls, però em va semblar que somreia imperceptiblement.
>
> —Ha pres, Vossa Mercè, un bombó de sa xemeneia? Si no pot respondre, faci un signe amb sa mà.
>
> Féu un gest indecís, que podia esser interpretat com una negació i vaig sentir renéixer l'esperança.
>
> —Confessa, doncs, que no s'ha volgut matar?
>
> Aquesta vegada la mà denegà amb més claredat.
>
> —¿Demana perdó a Déu per tots es seus pecats, se'n penet i m'autorisa a suprimir de ses *Memòries* tot allò que un consei de moralistes estimi pertinent a major servei de Déu i bé de sa seva ànima?
>
> No vaig continuar perquè havia perdut el sentit. Dormí fins a la matinada, en què obrí els ulls i recobrà momentàniament la paraula. El volia confessar i ell, com altres vegades, es remeté a la seva obra.
>
> —Es meus escrits, Joan, són sa meva confessió. No tenc por —afegí—. Déu és bo.
>
> Record, com si fos ara, el to de les seves paraules.
>
> —S'existència de Vossa Mercè ha estat bella, malgrat es seus errors. Demani contritament perdó...
>
> —Mira —interrompé incorporant-se—, m'acús d'haver tengut enveja d'En Jacob Collera.
>
> Vacil·là i el vaig sostenir. Era mort. (p. 222)

Acusant-se d'haver envejat el marquès de Collera, Don Toni evita de col·laborar en «la comèdia lamentable i repugnant» (Nietzsche 1998a, p. 61) de l'hora de la mort cristiana, i així manté la seva consciència inviolada.

Don Toni mor sense descendència legítima. La llegenda de l'escut dels Bearn és *taxativa*: «Abans morir que mesclar la sang» (p. 68). Els Bearn no poden mesclar la sang perquè «la mescla de sang d'amos i esclaus» propicia «la lenta arribada d'un ordre de coses democràtic» (Nietzsche 2000, p. 262), hostil als senyors i la seva moral pagana, i el triomf de la democràcia és comparable a «un enverinament de la sang (ja que ha barrejat i confós les races)» (Nietzsche 1998b, p. 58). L'Europa del segle XIX s'ha transformat en «escenari d'un absurd i sobtat assaig de mestissatge radical d'estaments i *en conseqüència* de races» (Nietzsche 2000, p. 178). Ignorant la llegenda de l'escut de la família, Don Toni ha mesclat la sang amb dones de la classe inferior i ha engendrat almenys un fill il·legítim, Joan Mayol, que incorpora a la novel·la el concepte nietzscheà del mestissatge de classes i de races. Nietzsche, doncs, també desfà la suposada ambigüitat de la filiació del sacerdot. La negligència o la passivitat que aquest exhibeix quan caldria destruir els bombons enverinats de Xima, contribuint així a la mort dels Bearn, es pot interpretar tenint en compte la relació causa/ efecte que Nietzsche estableix entre la mescla de classes i el triomf de la democràcia (Joan Mayol és un sacerdot cristià, i «el *moviment* democràtic és l'hereu del cristià» [Nietzsche 2000, p. 261]), i la seva percepció de la *perversitat* dels sacerdots, del seu odi *verinós*.

Joan Mayol esmenta Nietzsche per primera vegada a propòsit del Pare Pi, el seu professor de música al Seminari: «El Pare Pi tenia sempre a la boca els noms de Voltaire i Renan (ignor si coneixia Nietzsche i si per aquells dies aquest ja havia escrit el seu blasfem *Anticrist*» (p. 39). El torna a esmentar quan planteja el contrast entre la «formació cultural» de Don Toni i la seva, entre la moral dels senyors i la moral dels esclaus:

> La filosofia del meu protector i la meva seguien camins diferents. No sols ens separaven uns quaranta anys d'edat, sinó tota una formació cultural. Sempre he dit [...] que la moral dels senyors és més acomodatícia que la dels pobres. Fou en el cor del poble que la doctrina de Crist començà a arrelar. Amb un

> sentit molt prussià de la Història, Nietzsche, el tristament famós creador del Super-home, diu que el cristianisme no és més que una insurrecció d'esclaus. Ho afirma en forma despectiva perquè no comprèn la grandesa de tota una casta que intenta alliberar-se de l'esclavitud moral en què la tenia el paganisme. El cas és que els senyors han de posseir molta virtut per a no pecar. Hem de resar per ells més encara que pels humils, ja que d'aquests, segons és escrit, serà el Regne dels Cels. (p. 51)

Aquest no és pas l'únic punt de la seva carta on Joan Mayol planteja el contrast entre amos i criats, entre paganisme i cristianisme o entre moral aristocràtica i moral del ramat. Als fragments ja citats, parla de les «diferents esferes» en què Don Toni i ell se situen; de la crueltat, la «sequedat de cor» o la «fredor» dels poderosos del món que als «fills del poble» els fa l'efecte de ser «el més alt exponent de l'egoisme»; de la distància que separa la vida benaurada de Don Toni de la seva, en què no falten les hores amargues, o de l'odi envers els senyors, que serien «els enemics».

L'esfera dels Bearn és la dels senyors. Els bearnesos humils, que tenen «motius» per «desconfiar» (p. 23) de Don Toni, pertanyen a l'esfera dels criats o dels esclaus. La seva moral és el cristianisme de l'Església catòlica, que, a més de Joan Mayol, aporta a la novel·la quatre personatges menors: Lleó XIII, Miquel Gilabert i els dos Vicaris de Bearn, que només assoleixen una plenitud de sentit si els llegim a través del filtre de Nietzsche.

Amb les seves deixuplines, Lleó XIII remet als homes «íntimament salvatges, que es flagel·len a si mateixos —homes forts però inadaptats» (Nietzsche 2004a, p. 120) del cristianisme quan aquest deixa de ser només la moral de les classes baixes del món antic i es disposa a prendre el poder als bàrbars.

Miquel Gilabert, destinatari de la carta de Joan Mayol, és el primer graó de la jerarquia catòlica encarregada de dictaminar sobre la moralitat de les *Memòries* del senyor de Bearn.

L'estira-i-arronsa de cada any sobre el ball de Carnaval entre Don Toni i Don Andreu és un dels fronts del conflicte entre la moral dels senyors i la moral dels esclaus: «Era una vella pugna entre l'Església i els senyors» (p. 44). Don Andreu creu que el Carnaval, «festa d'origen pagà», és perillós, i en desaprova «la impunitat de l'incògnit» (p. 44), el fingiment, mentre que Don Toni comprèn que «l'incògnit [constitueix] tot l'encís de la festa» (p. 45), i n'ignora els perills perquè és un pagà, i aquesta festa pagana en el fons no li desagrada (p. 217). Don Andreu enfoca el Carnaval des d'una perspectiva cristiana. Don Toni, des d'una perspectiva dionisíaca.[31]

L'enfrontament encobert entre Don Toni i l'Església també s'evidencia en la incomoditat de Don Andreu davant els càstigs corporals als criats, i en el detall que Don Francesc, el substitut de Don Andreu, «jove i amb l'esperit ple d'innovacions» (p. 122), es refereixi als Bearn com «una 'devota família' en lloc d'una 'noble família'», o se'n disculpi «amb arguments de caràcter democràtic» (p. 122): «el *moviment* democràtic és l'hereu del cristià».

Finalment, hi ha Joan Mayol, que és un d'«aquells qui de bon començament són dissortats» a causa del seu origen humil, que el condemna a la condició de subaltern. Aquest origen i aquesta condició l'habiliten per fer el paper d'esclau. La seva funció de capellà de la *casa* dels Bearn el converteix en un «animal domèstic», el pol oposat als homes que afirmen la vida.

Com a sacerdot catòlic, és un esperit que no suporta la veritat de la vida, que se'n fabrica una de falsa, convençut que «la carn és efímera i l'ànima perdurable» (p. 203). A diferència de Don Toni, un epicuri que aposta per l'«eternitat terrenal», ell concep la vida com una vall de llàgrimes i es menteix un paradís ultraterrenal:

31. El vessant dionisíac de la personalitat de Don Toni és el que justifica la seva abúlia (p. 25), força incomprensible en una figura fàustica: «es pot dir que l'home dionisíac s'assembla a Hamlet: tots dos han examinat a fons l'autèntica naturalesa de les coses, han *comprès* i ara els costa actuar. S'adonen que cap acció de les seves pot canviar l'eterna condició de les coses [...]. Comprendre mata l'acció, perquè per actuar ens fa falta el vel de la il·lusió» (Nietzsche 1956, p. 51).

> Bearn fou com una anticipació del Paradís, amb els boscs, les ovelles i les postes de sol; amb la vella casa de pedra i la vella foganya, amb les primaveres i els hiverns, les hortènsies i les neus... [...]. I, malgrat tot, Miquel, jo he patit aquí com no es pot explicar. Aquest paradís no era per a mi el definitiu, sinó el terrenal, que l'home acaba sempre per perdre. (p. 115)

Nietzsche defineix la fe cristiana com «un sacrifici de la llibertat, de l'orgull, de la confiança de l'esperit en ell mateix, i [...] alhora un asserviment, un escarni i una mutilació» (2000, p. 103). La vida de Joan Mayol s'emmiralla en aquest sacrifici:

> [Don Toni] m'ensenyà el francès i m'inicià en Racine i Molière; gràcies a ell, un pobre sacerdot de poble que no ha volgut mancar mai als seus vots, no es morirà sense saber com estimava Fedra o com somreia Celimena. Crec que Déu s'ho ha d'estimar més així i ha de preferir el meu sacrifici conscient als sacrificis dels ignorants, que no es poden dir sacrificis. (pp. 24-25)

> Jo no havia fet el sacrifici de la meva joventut plena de temptacions per un «malentès» [entre Déu i el Dimoni]. (p. 102)

> Durant un moment se'm representà la meva existència estèril i empresonada i sentint-me amb facultats que no és corrent trobar reunides en un sol individu (joventut, força, intel·ligència: d'aquesta manera em temptava el dimoni) em vaig dir que no era just el sacrifici de tota la meva vida, i en la desesperació vaig dubtar de Déu i del meu protector. (p. 231)

El sacrifici de Joan Mayol té molt a veure amb la castedat: «abans de la mort d'En Jaumet jo volia deixar el Seminari, tan en pugna amb els meus sentits i temperament» (p. 42). Després de la mort d'En Jaume, renuncia a la pràctica d'«uns exercicis essencialment pagans, massa parents de la sensualitat, que [creu] barallats amb l'esperit del cristianisme» (p. 32). Contràriament al que pensa Don Toni, per a ell l'exercici físic i la vocació religiosa no són compatibles:

> No manquen autors ascètics que aconsellen el cansament muscular a fi de fer fugir els mals pensaments de la carn. Això

> no és exacte per a totes les naturaleses. Durant anys m'he dedicat intensament a la caça, escalant muntanyes sense cap resultat, sinó més bé al contrari. M'atrevesc a dir que l'exercici és el principal enemic de la castedat, ja que, lluny d'adormir-les, excita les funcions vitals. (p. 42)

La difícil castedat del sacerdot contrasta amb l'epicureisme i la vida llibertina de Don Toni. Xima és una temptació extraordinària per al primer i l'amant del segon, que, malgrat el parentiu i la diferència d'edat escandalosa, no dubta a *posseir* la seva bellesa. Joan Mayol està obsedit amb Xima: «La seva imatge havia contorbat el meu esperit durant anys i va estar a punt de fer-me renunciar a la carrera eclesiàstica» (p. 83). No té inconvenient a confessar que, a París, «hi pensava contínuament» (p. 137), o que «Dona Xima va esser la [seva] obsessió» (p. 139). L'ànima de l'esclau *cobeja* Xima. La bellesa de la noia, que en si mateixa hauria de ser bona, l'indueix a efectuar un capgirament de valors típic del cristianisme. La seva fantasia transforma la bellesa de Xima en la personificació del mal, i la seva castedat transforma el desig en tristesa:

> Dona Xima, en l'esclat de la seva bellesa i de la seva depravació, era, en la meva fantasia, l'encarnació del Dimoni. [...]. Dona Xima era per aquells temps la dona de prop de trenta anys, la rosa oberta i cobejable, engendradora de desigs trists i mortals. (p. 78)

> La bellesa és una força tràgica. El paganisme pretén que és l'alegria de la vida. Per a mi representa la tristesa. (p. 87)

Si a l'epicureisme pagà de Don Toni Joan Mayol oposa la castedat cristiana, al seu egoisme, nascut de la incapacitat de posar-se al lloc dels altres, hi oposa la seva empatia amb el proïsme: «La facultat de col·locar-me al lloc dels altres és sens dubte el que destrueix l'agressivitat que em bull a la sang» (p. 50). En ell, la crueltat, l'egoisme, l'orgull dels poderosos del món són substituïts per les virtuts de la «fraternitat i humilitat cristianes» (p. 72).

Joan Mayol és l'home del ressentiment, encara que eviti de recalcar-ho: «El meu ressentiment durà poc», escriu a propòsit d'una escena entre Don Toni i Xima que observa d'amagat. Aquest ressentiment, però, es pot inferir d'alguns dels judicis que emet sobre la vida fàcil dels senyors o la seva crueltat, i enllaça amb una altra de les seves característiques: la mala consciència, que contrasta amb l'actitud de Don Toni de no penedir-se mai de res.

L'home del ressentiment és l'inventor de la mala consciència, el que no es consenteix de fer mal als altres i se'n fa a si mateix, el que s'empara de la religió per martiritzar-se fins a l'últim extrem i, en aquest sentit, la mort d'En Jaume és un episodi fonamental per entendre Joan Mayol. És a causa de la sensació de culpa per «aquella desgràcia, per no dir aquell crim» (p. 16), per la «tragèdia, o tal volta crim» (p. 182) que decideix no abandonar el Seminari i «renunciar al món per a sempre» (p. 16). La mort d'En Jaume, en principi provocada per un atac de cor, l'enfonsa en la desesperació, i reacciona inculpant-se'n:

> Jo estava desesperat. No podia recórrer al consol de la confessió perquè no sabia exactament de què acusar-me. Qualsevol a qui hagués explicat el cas s'hauria vist obligat a absoldre'm. Jugàvem. S'havia cansat. Havia tengut un atac de cor. A quinze anys, jo no sabia fer un examen de consciència com avui. Comprenia, això no obstant, que la meva responsabilitat era greu. Les meves relacions amb aquella criatura foren en veritat estranyes. Hi ha en mi un fons de crueltat i de sobergueria que en condicions normals apareix adormit. Els jocs que acostumava a mirar com a inofensius tenen la seva malícia i deuen esser pocs els qui en la lluita no han sentit despertar-se els seus instints sàdics. [...]. La sobergueria d'En Jaume era tan forta com la meva. Jo li havia llançat a la cara, els primers dies de conèixer-lo, un verb infamant per a una dignitat de dotze anys: *minauder*. En els nostres jocs, jo li havia de guanyar sempre, cosa que no tenia gens de mèrit. Moralment, ell m'havia de donar la lliçó de morir com un heroi. Tal volta no el vaig matar d'un cop, però sí amb un verb. Sabia el francès millor que jo. (p. 32)

Quan, essent encara al Seminari, observa l'escena d'un grup de revolucionaris que intenten enderrocar una estàtua de la reina Isabel, se sent amb ganes i amb prou forces per atonyinar un carregador del moll, però l'atura aquest pensament: «Sabia [...] que si el feria els remordiments no em deixarien en pau [...]. Veia l'arribada del ferit a ca seva, una casa miserable, amb nins bruts i malaltissos...» (pp. 49-50). La mala consciència també l'aclapara després d'haver agredit un agent d'ordre públic en un tramvia de París: «La cara em queia de vergonya. [...]. En contemplar-lo ple de sang, em vaig trastornar de tal manera que tenia por de perdre el coneixement» (p. 139), i tenyeix la seva conversa posterior amb el comissari:

> —[...] Estic avergonyit de la meva acció. Em sembla tan baix haver usat de la força contra un home que només pretenia complir amb el seu deure, que mai no m'ho perdonaré. Sé que Déu me n'ha de castigar; així és que la pena que m'imposi la llei tal vegada servirà per atenuar la que em correspon a l'altra vida. (p. 140)

Quan els arriba l'ordre de la policia francesa d'abandonar París, es considera «el principal culpable d'aquella ignomínia» (p. 156). Durant la visita dels Rosenkreuzer a Bearn, també es penedirà d'haver agafat el secretari del doctor Wassmann per les solapes en un rampell de violència. De seguida es disculparà i posarà en marxa el mecanisme de la mala consciència: «L'escena m'havia trastornat. Vaig intentar fer un acte de contrició sense aconseguir asserenar-me» (p. 231).

Joan Mayol encara incorpora una altra característica de l'esclau de Nietzsche: és l'«home gos» que es deixa maltractar. Quan pateix la violència física de Don Toni, respon amb una gran submissió. La primera vegada és el dia que canta missa nova. «Sempre recordaré que durant el desdejuni [Don Toni] em digué a l'orella que entre Déu i el Dimoni no hi havia més que un malentès» (p. 101). Horroritzat, Joan Mayol abandona la taula «davant l'estupefacció dels convidats, que no havien sentit les paraules sacrílegues», i per tornar-hi exigeix a Don

Toni que demani «perdó a Déu del despropòsit que havia pronunciat» (p. 102). Satisfeta aquesta exigència, «[a]mb els ulls inflats de plorar vaig tornar a la taula i allà, davant tohom, [Don Toni] me pegà dues bescollades que em feren veure els estels» (p. 102). En una altra ocasió, quan van a veure el Papa, el senyor de Bearn expressa el desig de parlar-hi tot sol i ell s'ofereix a renunciar a l'audiència i a esperar-lo a Sant Pere: «[Don Toni] em pegà una clatellada que em deixà astorat, perquè el carruatge era descobert» (p. 167).[32]

Joan Mayol és, doncs, l'esclau de Nietzsche, el cristià reprimit, de mirada cobejosa, que nega la vida, capgira els valors de la moral aristocràtica i es menteix una realitat ultraterrenal. És l'home del ressentiment i la mala consciència, l'«home gos» que s'humilia a si mateix i accepta el maltracte dels altres.

Llegit a la llum d'Ortega, Joan Mayol personifica la decadència i el final del cicle històric. A la llum de Nietzsche, personifica una decadència moral. En ambdós casos apareix com un personatge *menyspreable*, com sap molt bé Dona Maria Antònia de Bearn.

El 1937, Villalonga anota al *Diario de guerra*: «Para muchos, el movimiento nacionalsindicalista es un movimiento de derechas. Un retorno a la antigua aristocracia. Si fuera así, yo aplaudiera tal vez» (1997, p. 39). El mateix any, en una altra entrada del *Diario* que prefigura el personatge de Joan Mayol, proposa aquesta reflexió:

> De dónde procede nuestra debilidad mental —nuestra histórica debilidad mental— es cosa que no es para examinarla al correr de la pluma ni en un diario como éste, donde me he propuesto pensar poco. Pero tal vez procede de tres o cuatro siglos

32. Com els senyors de Bearn, Joan Mayol és un personatge contradictori a causa d'una intersecció d'intertextos: representa el feixisme *violent* (Ortega) i, al mateix temps, per la seva condició de cristià, mostra empatia amb el proïsme i és un precursor de la democràcia (Nietzsche).

de clericalismo, siendo el clericalismo el único sistema por el que puede regirse España.[33] (1997, p. 62)

En aquests moments, el feixisme que interessa a Villalonga és el que propugna el retorn a una antiga aristocràcia (nietzscheana?), a una arcàdia on no té cabuda la feblesa mental del clericalisme espanyol. *Bearn* representarà aquesta arcàdia aristocràtica, la seva decadència i el seu envilment.

33. El diagnòstic de Villalonga sobre la feblesa mental de l'Espanya franquista encaixa amb la filosofia política del primer Ortega: «Un anticlericalismo moderado formaba parte de su primera filosofía política, porque la Iglesia era la forma institucional que abrigaba a otra minoría concreta que no cumplía con su deber para con los valores de la sociedad» (Ouimette 1998, vol. 2, p. 125).

Bibliografia

Alas, Leopoldo [Clarín] (1969) *La Regenta*, Madrid: Alianza Editorial.

Albertocchi, Giovanni (1989) «Villalonga, Lampedusa i el 'jo transcendent'», *Els Marges*, núm. 39, pp. 7-18.

Alcover, Antoni Mª i Francesc de Borja Moll (1962) *Diccionari català-valencià-balear*, vol. 10, Palma de Mallorca: Gràfiques Miramar.

Alcover i Lladó, Mª Manuela (1988) «Les dones villalonguianes», *Als Villalonga de Bearn (Homenatge de Bunyola a Llorenç i Miquel Villalonga)*, ed. Tomeu Quetgles, Palma de Mallorca: Ajuntament de Bunyola, pp. 66-85.

Alcover [i Lladó], Manuela (1996) *Llorenç Villalonga i les belles arts*, Palma de Mallorca: Edicions Documenta Balear.

Alegret, Joan (1988) «Sobre les referències històriques de la novel·la *Bearn*», *Als Villalonga de Bearn (Homenatge de Bunyola a Llorenç i Miquel Villalonga)*, ed. Tomeu Quetgles, Palma de Mallorca, Ajuntament de Bunyola, pp. 47-64.

Alomar, Gabriel (1931) «Pròleg», a Llorenç Villalonga [Dhey], *Mort de dama*, Palma: Gràfiques Mallorca, pp. 7-10.

Álvarez Chillida, Gonzalo (2002) *El antisemitismo en España: La imagen del judío (1812-2002)*, Madrid: Marcial Pons, Ediciones de Historia.

Aritzeta, Margarida (2002) *El joc intertextual: Quatre itineraris per la «sala de les nines»*, Barcelona: Proa.

Benet i Jornet, Josep M. (1975) «Per a una lectura de *Bearn* o la sala de les nines», *Els Marges*, núm. 4, pp. 116-122.

Benstock, Shari (1987) *Women of the Left Bank: Paris, 1900-1940*, Londres: Virago Press.

Bernanos, Georges (1987) *Journal d'un curé de campagne*, París: Plon.

Bosch, Maria del Carme (2003) «Proust, Lampedusa i Villalonga», *Bearn, entre la vida i la ficció (Ponències de la I Aula de Novel·la)*, ed. Catalina Sureda Vallespir, Binissalem / Barcelona: Fundació Casa Museu Llorenç Villalonga / Publicacions de l'Abadia de Montserrat, pp. 95-111.

Bou, Magdalena (1982) «Llorenç Villalonga i l'avantguardisme», *Affar*, núm. 2, pp. 57-67.

Breuer, Josef (s.d. [1895]) «Fräulein Anna O.», a Josef Breuer i Sigmund Freud, *Studies on Hysteria*, ed. i trad. James Strachey, USA: Basic Books, pp. 21-47.

Castellanos, Jordi (1987) «El Noucentisme: Ideologia i estètica», dins *El Noucentisme: Cicle de conferències fet a la Institució cultural del CIC de Terrassa, curs 1984/85*, Barcelona: Publicacions de l'Abadia de Montserrat, pp. 19-39.

Castellanos, Jordi (1995) «*Bearn o la sala de les nines*: Assaig d'interpretació», *Actes del Desè Col·loqui Internacional de Llengua i Literatura Catalanes*. Frankfurt am Main, 18-25 de setembre de 1994, vol. 1, Barcelona: AILLC / Publicacions de l'Abadia de Montserrat, pp. 75-91.

Cela, Camilo José (1956) «Prólogo parabólico», a Lorenzo Villalonga, *Bearn o la sala de las muñecas*, Palma de Mallorca: Atlante, s.p.

Cerezo Galán, Pedro (1991) «Razón vital y liberalismo en Ortega y Gasset», *Revista de Occidente*, núm. 120, pp. 33-58.

Clark, Suzanne (1991) *Sentimental Modernism: Women Writers and the Revolution of the Word*, Bloomington/ Indianapolis: Indiana University Press.

Dalí, Salvador, Lluís Montanyà i Sebastià Gasch (1983) «Manifest groc», *La literatura catalana d'avantguarda*, ed. Joaquim Molas, Barcelona: Antoni Bosch, Editor, pp. 327-331.

Drieu la Rochelle, Pierre (1996) *Gilles*, París: Éditions Gallimard.

Eliot, T. S. (1991) «Tradition and the Individual Talent», *Selected Essays*, Londres: Faber and Faber, pp. 13-22.

Espinós, Joaquim (2003) «Una lectura nietzschiana de Llorenç Villalonga», *Actes del Dotzè Col·loqui Internacional de Llengua i Literatura Catalanes*, vol. 1, a cura de Marie-Claire Zimmermann i Anne Charlon, Barcelona: AILLC / Publicacions de l'Abadia de Montserrat, pp. 423-439.

Espriu, Salvador (1954) «Pròleg», a Llorenç Villalonga, *Mort de dama*, Barcelona: Selecta, pp. 13-29.
Espriu, Salvador (1991) «El país moribund», *Ariadna al laberint grotesc*, Barcelona: El Observador, pp. 124-127.
Eysteinsson, Astradur (1990) *The Concept of Modernism*, Ithaca: Cornell University Press.
Felski, Rita (1995) *The Gender of Modernity*, Cambridge, Massachusetts: Harvard University Press.
Ferrà-Ponç, Damià (1997) «Llorenç Villalonga entre tres cultures», *Escrits sobre Llorenç Villalonga*, Barcelona: Publicacions de l'Abadia de Montserrat, pp. 197-236.
Ferrer, Antoni-Lluc (1970), «Pròleg», a Gabriel Alomar, *El futurisme i altres assaigs*, Barcelona: Edicions 62, pp. 5-17.
Forteza, Miquel (1970) *Els descendents dels jueus conversos de Mallorca*, Palma de Mallorca: Editorial Moll, 2ª ed.
Fuentes, Víctor (1969) «La dimensión estético-erótica y la novelística de Jarnés», *Cuadernos Hispanoamericanos*, núm. 235, pp. 25-37.
Fuentes, Víctor (1972) «La narrativa española de vanguardia (1923-1931): Un ensayo de interpretación», *The Romanic Review*, vol. 58, núm. 3, pp. 211-218.
Gilman, Sander L. (1985) *Difference and Pathology: Stereotypes of Sexuality, Race, and Madness*, Ithaca/ Londres: Cornell University Press.
Gómez de la Serna, Ramón (1930) «Gravedad e importancia del humorismo», *Revista de Occidente*, núm. 28, pp. 348-391.
Gustà, Marina (1988) «Llorenç Villalonga», a Martí de Riquer/ Antoni Comas/ Joaquim Molas, *Història de la literatura catalana. Part moderna*, vol. 11, Barcelona: Ariel, pp. 119-156.
Hulme, T. E. (1955) «A Lecture on Modern Poetry», *Further Speculations*, ed. Sam Hynes, Minneapolis: University of Minnesota Press, pp. 67-76.
Hutcheon, Linda (1985) *A Theory of Parody: The Teachings of Twentieth-Century Art Forms*, Nova York/ Londres: Methuen.
Huyssen, Andreas (1988) *After the Great Divide: Modernism, Mass Culture, Postmodernism*, Londres: Macmillan Press.
Jarnés, Benjamín (1925) «Ramón Gómez de la Serna: *La Quinta de Palmyra*», *Revista de Occidente*, núm. 10, pp. 112-117.
Johnson, P. Louise (2002) *La tafanera posteritat: Assaigs sobre Llorenç Villalonga*, Binissalem / Barcelona: Fundació Casa Museu Villalonga / Publicacions de l'Abadia de Montserrat.
Julius, Anthony (1995) *T. S. Eliot, Anti-Semitism, and Literary Form*, Cambridge: Cambridge University Press.

Kirkpatrick, Susan (1989) *Las Románticas: Women Writers and Subjectivity in Spain, 1835-1850*, Berkeley/ Los Angeles: University of California Press.

Llompart, Josep Maria (1973) «*Mort de Dama*», *Guia de literatura catalana contemporània*, ed. Jordi Castellanos, Barcelona: Edicions 62, pp. 225-237.

Llop, José Carlos (1986) «Apuntes de entreguerras», a Lorenzo Villalonga, *Pousse-café*, Palma: Miquel Font, Editor, pp. 9-28.

Llop, José Carlos (1997) «La cámara sellada de Monsieur Villalonga», a Lorenzo Villalonga, *Diario de guerra*, pp. 9-25.

Loewenstein, Andrea Freud (1993) *Loathsome Jews and Engulfing Women: Metaphors of Projection in the Works of Wyndham Lewis, Charles Williams, and Graham Greene*, Nova York: New York University Press.

Mainer, José-Carlos (1969) «Noticia de Llorenç Villalonga», *Insula*, núm. 269, p. 3.

Marfany, Joan Lluís (1975) *Aspectes del Modernisme*, Barcelona: Curial.

Marinetti, F. T. (1973) «The Founding and Manifesto of Futurism 1909», *Futurist Manifestoes*, ed. Umbro Apollonio, trad. Robert Brain, Londres: Thames and Hudson, pp. 19-24.

Martín Marty, Laia (1984) *Aproximació a la imatge literària de la dona al noucentisme català*, Barcelona: Rafael Dalmau.

Martínez Gili, Raül David (2003) «La discursivització del desig en les primeres obres de Llorenç Villalonga», *Actes del Dotzè Col·loqui Internacional de Llengua i Literatura Catalanes*, vol. 1, a cura de Marie-Claire Zimmermann i Anne Charlon, AILLC / Publicacions de l'Abadia de Montserrat, pp. 441-453.

Massot i Muntaner, Josep (1998) *Tres escriptors davant la guerra civil: Georges Bernanos— Joan Estelrich— Llorenç Villalonga*, Barcelona: Publicacions de l'Abadia de Montserrat.

Molas, Joaquim (1966) «El mite de Bearn en l'obra de Villalonga», a Llorenç Villalonga, *Obres completes*, vol. 1, Barcelona: Edicions 62, pp. 7-29.

Molas, Joaquim (1999) «Per a una lectura de Llorenç Villalonga», *Actes del Col·loqui Llorenç Villalonga*, ed. Pere Rosselló Bover, Barcelona: Publicacions de l'Abadia de Montserrat, pp. 7-26.

Nietzsche, Friedrich (1956) «*The Birth of Tragedy*» *and* «*The Genealogy of Morals*», trad. Francis Golffing, Nova York: Doubleday & Company, Inc.

Nietzsche, Friedrich (1998a) *Twilight of the Idols or How to Philoso-*

phize with a Hammer, Londres / Nova York: Oxford University Press.

Nietzsche, Friedrich (1998b) *La genealogia de la moral*, ed. Josep M. Calsamiglia, trad. Joan Leita, Barcelona: Edicions 62, 2ª ed.

Nietzsche, Friedrich (2000) *Més enllà del bé i del mal*, ed. i trad. Miquel Costa, Barcelona: Edicions 62.

Nietzsche, Friedrich (2004a) *The Antichrist: A Curse on Christianity*, a *Ecce Homo: How One Becomes What One is & The Antichrist: A Curse on Christianity*, trad. Thomas Wayne, Nova York: Algora Publishing, pp. 99-174.

Nietzsche, Friedrich (2004b) *Ecce Homo: How One Becomes What One Is*, a *Ecce Homo: How One Becomes What One Is & The Antichrist: A Curse on Christianity*, trad. Thomas Wayne, Nova York: Algora Publishing, pp. 5-98.

Nietzsche, Friedrich (2005) *Thus Spoke Zarathustra*, trad. Graham Parkes, Oxford/ Nova York: Oxford University Press.

Oleza, Joan (1996) «Introducció», a Llorenç Villalonga, *Relats*, Alzira: Edicions Bromera.

Ors, Eugeni d' (1950) *Obra catalana completa: Glosari 1906-1910*, Barcelona: Selecta.

Ors, Eugeni d' (1976) *«La Ben Plantada» seguida de «Galeria de noucentistes»*, Barcelona: Selecta, 7ena ed.

Ors, Eugeni d' (1990) *Glosari (Selecció)*, a cura de Josep Murgades, Barcelona: Edicions 62, 3a ed.

Ors, Eugeni d' (1987) *La Vall de Josafat*, ed. Josep Murgades, Barcelona: Quaderns Crema.

Ors, Eugeni d' (1991) *Glosari 1917*, ed. Josep Murgades, Barcelona: Quaderns Crema.

Ors, Eugeni d' (1992) *Glosari 1916*, ed. Josep Murgades, Barcelona: Quaderns Crema.

Ors, Eugeni d' (1996) *Glosari 1906-1907*, ed. Xavier Pla, Barcelona: Quaderns Crema.

Ortega y Gasset, José (1957a) *Ideas sobre la novela*, *Obras completas*, vol. 3, Madrid: Revista de Occidente, 4ª ed., pp. 353-386.

Ortega y Gasset, José (1957b) *La deshumanización del arte*, *Obras completas*, vol. 3, Madrid: Revista de Occidente, 4ª ed., pp. 353-386.

Ortega y Gasset, José (1957c) «Vieja y nueva política», *Obras completas*, vol. 1, Madrid: Revista de Occidente, 4ª ed., pp. 265-300.

Ortega y Gasset, José (1957d) «La poesía de Ana de Noailles», *Obras completas*, vol. 4, Madrid: Revista de Occidente, 4ª ed., pp. 429-435.

Ortega y Gasset, José (1957e) «El ocaso de las revoluciones», *Obras completas*, vol. 3, Madrid: Revista de Occidente, 4ª ed., pp. 207-227.

Ortega y Gasset, José (1957f) «Epílogo sobre el alma desilusionada», *Obras completas*, vol. 3, Madrid: Revista de Occidente, 4ª ed., pp. 228-230.

Ortega y Gasset, José (1957g) «Juventud», *Obras completas*, vol. 3, Madrid: Revista de Occidente, 4ª ed., pp. 463-467.

Ortega y Gasset, José (1957h) «Arte de este mundo y del otro», *Obras completas*, vol. 1, Madrid: Revista de Occidente, 4ª ed., pp. 186-205.

Ortega y Gasset, José (1957i) «Sobre el fascismo», *Obras completas*, Madrid: Revista de Occidente, vol. 2, Madrid: Revista de Occidente, 4ª ed., pp. 497-505.

Ortega y Gasset, José (1957j) *España invertebrada: Bosquejo de algunos pensamientos históricos*, *Obras completas*, vol. 3, Madrid: Revista de Occidente, 4ª ed., pp. 35-128.

Ortega y Gasset, José (1957k) *La rebelión de las masas*, *Obras completas*, vol. 4, Madrid: Revista de Occidente, 4ª ed., pp. 111-310.

Ortega y Gasset, José (1957l) *El tema de nuestro tiempo*, *Obras completas*, vol. 3, Madrid: Revista de Occidente, 4ª ed., pp. 141-203.

Ortega y Gasset, José (1957m) «Cosmopolitismo», *Obras completas*, vol. 4, Madrid: Revista de Occidente, 4ª ed., pp. 485-491.

Ortega y Gasset, José (1957n) «Ideas sobre Pío Baroja», *Obras completas*, vol. 2, Madrid: Revista de Occidente, 4ª ed., pp. 69-125.

Ortega y Gasset, José (1957o) «Epílogo al libro *De Francesca a Beatrice*», *Obras completas*, vol. 3, Madrid: Revista de Occidente, 4ª ed., pp. 317-336.

Ortega y Gasset, José (1957p) «Sobre unas *Memorias*», *Obras completas*, vol. 3, Madrid: Revista de Occidente, 4ª ed., pp. 588-592.

Ortega y Gasset, José (1958) «En torno a Galileo», *Obras completas*, vol. 5, Madrid: Revista de Occidente, 4ª ed., pp. 9-121.

Ortega y Gasset, José (1962) «Una interpretación de la historia universal», *Obras completas*, Madrid: Revista de Occidente, vol. 9, pp. 9-229.

Ortega y Gasset, José (1969) «Socialismo y democracia», *Obras completas*, vol. 10, Madrid: Revista de Occidente. pp. 238-240.

Ouimette, Víctor (1998) *Los intelectuales españoles y el naufragio del liberalismo 1923-1936*, 2 vols, València: Pre-Textos.

Pérez Firmat, Gustavo (1993) *Idle Fictions: The Hispanic Vanguard Novel (1926-1934)*, Durham, NC/ Londres: Duke University Press.

Pomar, Jaume (ed.) (1984) *Primera aportació a l'epistolari de Llorenç Villalonga*, Ciutat de Mallorca: Antiga Impremta Soler.

Pomar, Jaume (1995) *La raó i el meu dret: Biografia de Llorenç Villalonga*, Palma de Mallorca: Editorial Moll.

Pomar, Jaume (1998) *Llorenç Villalonga i el seu món*, Binissalem: Di7 Edició.

Pomar, Jaume (2003) «*Bearn* en la vida de Llorenç Villalonga», *Bearn, entre la vida i la ficció (Ponències de la I Aula de Novel·la)*, ed. Catalina Sureda Vallespir, Binissalem / Barcelona: Fundació Casa Museu Llorenç Villalonga / Publicacions de l'Abadia de Montserrat, pp. 13-60.

Porcel, Baltasar (1987) *Els meus inèdits de Llorenç Villalonga*, Barcelona: Edicions 62.

Proust, Marcel (1987) *A la recherche du temps perdu*, vol. 2 (*Le Côté de Guermantes/ Sodome et Gomorrhe*), París: Robert Lafont.

Quincey, Thomas de (2000) «Historico-critical Inquiry into the Origin of the Rosicrucians and the Free-Masons», *The Works of Thomas de Quincey*, vol. 4, ed. Frederick Burwick, Londres: Pickering & Chatto, pp. 1-49.

Ródenas de Moya, Domingo (1998) *Los espejos del novelista: Modernismo y autorreferencia en la novela vanguardista española*, Barcelona: Ediciones Península.

Rosselló Bover, Pere (1993a) «La polèmica de l'aparició de *Mort de Dama*», *Randa*, núm. 33 (*Vida i obra de Llorenç Villalonga/I*), pp. 33-64.

Rosselló Bover, Pere (1993b) «*Bearn o la sala de les nines*», *de Llorenç Villalonga*, Barcelona: Empúries.

Sales, Joan (1971) «Pròleg a la 4ª edició de *Mort de Dama*», a Llorenç Villalonga, *Mort de dama*, Barcelona: Club Editor, 7ª ed., pp. 5-46.

Showalter, Elaine (1977) *A Literature of Their Own: British Women Novelists from Brontë to Lessing*, Princeton, New Jersey: Princeton University Press.

Simbor Roig, Vicenç (1999) *Llorenç Villalonga a la recerca de la novel·la inefable*, València/ Barcelona: Institut Interuniversitari de Filologia Valenciana/ Publicacions de l'Abadia de Montserrat.

Sobejano, Gonzalo (2004) *Nietzsche en España 1890-1970*, Madrid: Gredos, 2ª ed.

Spengler, Oswald (1967) *El hombre y la técnica y otros ensayos*, trad. Manuel García Morente i L. Martínez Hernández, Madrid: Espasa Calpe, 3ª ed.

Spengler, Oswald (1998) *La decadencia de occidente: Bosquejo de una morfología de la historia universal*, 2 vols, trad. Manuel García Morente, Madrid: Espasa Calpe.

Sureda Vallespir, Catalina (ed.) (2003) *«Bearn», entre la vida i la ficció (Ponències de la I Aula de Novel·la)*, Binissalem / Barcelona: Fundació Casa Museu Villalonga / Publicacions de l'Abadia de Montserrat.

Taguieff, Pierre-André, Grégoire Kauffmann i Michael Lenoire (1999) *L'Antisémitisme de plume 1940-1944: Études et documents*, París: Berg International Éditeurs.

Valle-Inclán, Ramón del (1994a) *Sonata de primavera / Sonata de estío*, Madrid: Espasa Calpe, 19ena ed.

Valle-Inclán, Ramón del (1994b) *Sonata de otoño/ Sonata de invierno*, ed. Leda Schiavo, Madrid: Espasa Calpe, 19ena ed.

Valle-Inclán, Ramón del (1999) *El ruedo ibérico I: La corte de los milagros*, ed. José Manuel García de la Torre, Madrid: Espasa Calpe.

Vidal Alcover, Jaume (1980) *Llorenç Villalonga i la seva obra*, Barcelona: Curial.

Villalonga, Llorenç [Dhey] (1931) *Mort de dama*, Palma de Mallorca: Gràfiques Mallorca.

Villalonga, Llorenç [Lorenzo Villalonga] (1934) «Introducción», *Centro*, Palma: Gráficas Mallorca, pp. 7-15.

Villalonga, Llorenç [L. Villalonga] (1935-36) *Muerte de dama*, *Brisas*, s.p.

Villalonga, Llorenç (1956) [Lorenzo Villalonga] *Bearn o la sala de las muñecas*, Palma de Mallorca, Atlante.

Villalonga, Llorenç [Lorenzo Villalonga] (1957) *La muerte de una dama*, trad. Jaume Vidal Alcover, *Papeles de Son Armadans*, vol. 5, núm. 13, pp. 101-127.

Villalonga, Llorenç (1961) «Pròleg de l'autor», *Bearn*, Barcelona: Club Editor, pp. 15-21.

Villalonga, Llorenç (1974) *Bearn*, Barcelona: Club Editor, 5a ed.

Villalonga, Llorenç (1982) *Falses memòries de Salvador Orlan*, Barcelona: Club Editor, 2a ed.

Villalonga, Llorenç (1993a) *Bearn o la sala de les nines*, *Obres completes*, vol. 2, ed. Josep A. Grimalt, Barcelona, Edicions 62, pp. 13-234.

Villalonga, Llorenç (1993b) *Desenllaç a Montlleó*, *Obres completes*, vol. 2, ed. Josep A. Grimalt, Barcelona: Edicions 62, pp. 235-382.

Villalonga, Llorenç [Lorenzo Villalonga] (1997) *Diario de guerra*, València: Pre-Textos.

Villalonga, Miguel (1983) *Autobiografía*, Madrid: Trieste.
Weininger, Otto (1906) *Sex & Character*, Londres: William Heinemann.
Woolf, Virginia (1966) «Modern Fiction», *Collected Essays*, vol. 2, ed. Leonard Woolf, Londres: The Hogarth Press, pp. 103-110.
Yates, Alan (1975) *Una generació sense novel·la? La novel·la catalana entre 1900 i 1925*, Barcelona: Edicions 62.
Zola, Émile (1967) *Le Docteur Pascal, Les Rougon-Macquart: Histoire naturelle et sociale d'une famille sous le Second Empire*, vol. 5, París: Éditions Gallimard, pp. 913-1220.

Índex